Ni oui ni non

Imprimé en France par Clerc à Saint-Amand-Montrond

ISBN 978-2-211-23506-8

Tomi Ungerer

Ni oui ni non

Réponses à 100 questions philosophiques d'enfants

l'école des loisirs
11, rue de Sèvres, Paris 6ᵉ

Carrément à l'ouest

Il m'avait prévenu. Lors d'une conversation téléphonique, Tomi Ungerer m'avait dit qu'il habitait l'un des points situés les plus à l'ouest de l'Occident, en Irlande, près d'une crique fréquentée naguère par les contrebandiers, un coin où les amateurs de plongée sous-marine connaissaient souvent des mésaventures, si bien qu'il les récoltait sur le canapé de son salon, à demi noyés, et qu'il leur offrait le whisky en attendant les secours d'un air rigolard. Il m'avait dit aussi qu'un immense récif, baptisé la Dent du diable – dessiné dans le bel album *Maître des brumes* –, se dressait au milieu des flots juste en face de sa maison. Même avec ces informations, y aller et voir cela de mes propres yeux a été un choc. Tomi s'est établi dans l'un des sites les plus merveilleux que j'aie jamais vus, une lande où paissent des moutons, bordée de falaises. Non, « merveilleux » n'est pas le mot. Il faudrait plutôt employer le terme « sublime », au sens où l'employait Emmanuel Kant, qui signifie tout à la fois beau et terrifiant, car Tomi vit dans un lieu presque inhabitable tant il est rude, malmené par les puissances austères de l'air du large, de l'iode, de la pluie et du vent…

Les réponses de Tomi aux questions envoyées par les enfants à *Philosophie Magazine* ne viennent pas de n'importe où. Elles sont émises depuis ce lieu. Il me les faisait parvenir à l'ancienne, c'est-à-dire que je recevais une fois par mois, par fax, quelques pages manuscrites, avec des ratures, des croquis, des ajouts et des digressions numérotées… Mais le fait que ces pages proviennent d'un lieu à part, d'un ailleurs, n'est pas sans effet sur leur contenu, ni sur la manière – inimitable – dont Tomi s'adresse aux enfants.

D'abord, sur cette lande déchiquetée que viennent frapper les lames de l'Atlantique, il n'y a ni foi ni loi. Les règlements, la politesse, la prudence, ce sont des manières de citadins, d'urbains. Elles ne valent pas une crotte de mouton, replacées dans une nature grandiose. Tomi se fiche pas mal de provoquer du mécontentement. Un buzz sur les réseaux sociaux ne pourrait l'atteindre, là où il est. Son indépendance géographique l'éloigne de la morale commune. Ensuite, il y a dans les textes et les dessins de Tomi un jeu constant avec l'effroi. Cela vient sans doute en partie de son enfance alsacienne marquée par la Seconde Guerre mondiale, qu'il évoque souvent dans les pages qui suivent. Mais si vous regardez tous les soirs la lune se lever au-dessus d'un isthme irlandais, vous ne pouvez pas ne pas sentir des présences spectrales autour de vous, ne pas éprouver une épouvante délicieuse. Enfin, je dirais qu'un lieu aussi élémentaire est un bon guide pour un artiste et qu'il aide à aller droit à l'essentiel. Quand il dessine, Tomi ne donne jamais dans la simple illustration ni dans l'anecdote. Chaque croquis qu'il griffonne a une symbolique frappante. Et quand il écrit, il cherche – de la même façon – la concision. Comme si le souffle des tempêtes emportait les bavardages, et ne laissait assez d'haleine que pour prononcer des phrases courtes, mais indispensables.

Alexandre Lacroix

Je ne raisonne pas que pour être raisonnable

Une philosophie qui ne propose pas de recettes pour la vie quotidienne n'est qu'une gymnastique cérébrale trop acrobatique pour le commun des mortels. Moi-même, dans ma jeunesse, je me suis plongé dans l'étude de grandes cervelles comme Kant, Descartes, Ouspensky ou Kierkegaard, pour finalement m'avouer que je n'y comprenais rien. Je n'ai simplement pas les capacités intellectuelles pour saisir au vol des pensées en trop haute altitude.

Je me suis toujours méfié des théories qui prétendent avoir le monopole de la vérité. Sous les nazis, dans l'Alsace de mon enfance, tout était simplifié : « Ne pensez pas – le Führer pense pour vous. »

Moi, je prends la liberté de penser par moi-même et j'aime plonger dans les profondeurs, la mienne et celles des autres, tout en cherchant des solutions aussi simples que pratiques. Ma cervelle a les deux pieds sur terre – et prend parfois ses jambes à son cou.

Lorsque Alexandre Lacroix, le directeur de la rédaction de *Philosophie Magazine*, m'a proposé de tenir une rubrique qui répondrait à des questions d'enfants, j'ai bondi sur l'occasion comme un fauve sur sa proie.

Il y a des années, lors d'un débat public, je me suis trouvé face à la responsable des jardins d'enfants suisses de l'époque qui déclarait que jamais de son vivant un livre de Tomi Ungerer n'entrerait dans un de ses établissements. Comme de nombreux pédagogues, elle n'avait sans doute pas l'expérience qu'a une mère de famille entourée d'une ribambelle de petits monstres.

Pour cette dame, les enfants étaient de petits êtres fragiles qu'il fallait mettre à l'abri et protéger de ce monde gouverné par des instincts mauvais.

Pour ma part, je subsiste dans un état que ma femme qualifie de *« arrested development »* : je ne suis jamais devenu adulte. J'ai ainsi préservé une certaine innocence puérile et ludique, et la capacité de faire des découvertes et de m'émerveiller constamment. Chaque fois que je prends l'avion, c'est comme si je le prenais pour la première fois.

Les petits sont exactement sur ma longueur d'onde en matière d'humour subversif. Mes modèles sont les fables d'Ésope, donc aussi celles de La Fontaine, ainsi que les histoires de Erich Kästner.

Que l'université de Karlsruhe m'ait nommé «doctor honoris causa» (plus «honoris» que «causa») il y a quelques années n'est pas une raison pour que je me prenne davantage au sérieux. Bien au contraire, c'est par l'absurde que je gouverne la logique. Si, comme dit Pascal, «l'homme est un roseau pensant», il ne l'est qu'à la fin de l'été, couronné d'un boudin noir de semences qui s'envolent jusque dans des déserts éloignés.

Ainsi, Alexandre Lacroix m'édite, corrige mes fautes d'orthographe tout en maintenant celles caractéristiques de mon style *dixlexique*, débroussaille mes textes souvent trop longs et respecte ma façon de penser, fondée sur le doute et la relativité des choses, selon le principe du «Pourquoi pas?»

Je pris rapidement conscience que je ne devais pas contaminer les enfants avec mon cynisme. C'est pour cela que je mets en avant les préceptes du respect et du partage – souvent à l'aide de l'humour, cet ingrédient essentiel de la survie. Et – surtout! –, la liberté de penser. La liberté existe pour qu'on la prenne. Je ne raisonne pas que pour être raisonnable. Si un mystère se révèle inexplicable, eh bien, qu'il nourrisse notre imagination et abreuve nos rêves!

De nombreuses questions d'enfants m'ont catapulté vers mon propre passé. C'est pour cela que j'ai régulièrement recours à des anecdotes autobiographiques. Et, là encore, ce qui s'applique à l'un ne convient pas à un autre. Mon livre *Pas de baiser pour Maman*, par exemple, ne conviendrait pas à un orphelin en manque d'affection.

Je reste réaliste dans l'absurde, comme le chêne qui se conifère en voyant venir l'hiver. La vie est une épreuve à surmonter dans un monde injuste et violent, autant en avertir les enfants.

Répondre aux enfants, cela signifie se mettre à leur place, expliquer les choses avec des mots adultes et compréhensibles, illustrer les idées par des exemples tirés de la réalité ou soutirés à l'imagination, leur montrer que tout peut se surmonter avec le sourire et le respect. Et que nous sommes tous – grâce à l'absurde – des apprentis sorciers.

Tomi Ungerer

Comment dire à quelqu'un qu'on l'aime? Et se faire des amis quand on est timide?

Maïa, 7 ans et demi

Pour répondre à ta première question, je vais te raconter une histoire.

Ambra a 12 ans. Elle est réservée, sinon timide, silencieuse, très indépendante de nature. C'est la fille d'un ami. La semaine dernière, nous dînions tous ensemble. Ambra était assise à ma gauche. Pendant le repas, elle a pris ma main entre les siennes et m'a glissé à l'oreille : *«Tu as de belles mains!»* Cela sans éprouver la moindre gêne, avec le plus grand naturel. Spontanément, elle exprimait ainsi, par ce geste si simple, son affection pour moi. Mon vieux cœur qui bat son rythme depuis 86 ans a été chaviré d'émoi. Si l'on veut exprimer son amour ou son affection, un geste est souvent préférable à la parole. Mais ce n'est pas toujours facile pour un timide!

Cela m'amène à répondre à ta seconde question. La timidité tient essentiellement à la peur de se rendre ridicule. Pour la surmonter, et donc se faire des amis, il faut résolument sortir de sa coquille, comme quelqu'un qui se jetterait à l'cau pour apprendre à nager. C'est le premier élan qui compte.

Pour amorcer une conversation, il peut être utile de connaître les goûts, les préférences, les centres d'intérêt de la cible choisie : aime-t-elle lire ? Pratique-t-elle un sport et si oui lequel ? A-t-elle des passe-temps favoris ?

Jusqu'à l'âge de 8 ans, j'ai vécu en vase clos, en pension chez un oncle sévèrement évangéliste. Je n'avais jamais connu ni ami ni camarade de jeu, et ce n'est qu'en 1940, avec l'arrivée des nazis, que j'ai dû intégrer l'école du quartier. J'avais sur moi un calepin dans lequel je consignais les noms de mes camarades de classe. Je cochais ceux avec lesquels je m'étais lié d'amitié. À la fin du premier trimestre, je pouvais me louer de les avoir tous mis de mon côté. Le gringalet timide que j'étais est devenu meneur et boute-en-train. Il y avait dans ce procédé une part de matoiserie. Enfin ! Plutôt rusé que renégat…

Mais ce n'est pas toujours gagné ! Quand j'avais 17 ans, je suis allé faire des randonnées en Laponie. Un jour, en revenant à l'auberge de jeunesse de Hammerfest, je tombe sur deux Français. Et moi, tout rayonnant de retrouver des compatriotes, j'entame avec appétit une conversation qui provoque le mutisme glacé de l'un et une remarque cinglante de l'autre : *« Mais qui t'a demandé de raconter ta vie ? »* On devrait toujours avoir sur soi une serpillière pour essuyer les échecs.

Pourquoi on a
des couleurs préférées?

Adèle, 8 ans

Je pense que ce sont les associations d'idées qui nous font préférer certaines couleurs. C'est pourquoi on aura toujours tendance à aimer le bleu ciel et le rose bonbon davantage que le caca d'oie ou le vert-de-gris. Les aveugles n'ont pas le choix, ils n'ont guère que le noir à préférer. C'est aussi ma couleur favorite, surtout utilisée en contraste avec les autres.

Si l'on me donne un coup, est-ce que je peux en donner un pour me défendre ?

Pierre, 7 ans

Hélas ! oui, pour te faire respecter. Mais attention ! Une riposte n'est recommandable que si tu es presque sûr de gagner.

Pendant la « drôle de guerre » (1939-1940), des affiches françaises proclamaient : « Nous gagnerons parce que nous sommes les plus forts ! » Une débâcle sans précédent fut la réponse à cette vanité illusionnoire.

Si tu n'es pas assez fort, tu peux aussi désarmer l'assaillant par l'ironie et la raillerie. L'essentiel est de le tourner en ridicule avec une repartie bien sentie. Ou alors il faut ruser, comme David contre Goliath. Pourquoi ne pas utiliser, pour subjuguer ton adversaire, un pistolet à eau rempli de Mercurochrome ?

Je te donne ces conseils, mais, personnellement, j'ai toujours eu la violence en horreur et préfère vivre en bonne intelligence avec les autres.

Qu'est-ce qu'on gagne quand on a gagné la guerre?

Éric, 7 ans

On peut gagner des batailles, mais on ne peut pas gagner une guerre. C'est pour les deux adversaires un énorme gâchis, tant par la destruction que par les pertes cruelles de victimes innocentes.

Chaque guerre engendre un sentiment de vengeance chez les vaincus, nourri par l'arrogance des vainqueurs. Une fois terminée, elle annonce déjà la prochaine. La victoire ne s'est jamais faite en chantant.

En tant qu'Alsacien, coincé entre l'Allemagne et la France, j'ai connu deux défaites. Après la drôle de guerre, en 1940, les Allemands ont occupé l'Alsace et nous ont interdit de parler français. En 1945, les Français ont repris l'Alsace et il fut interdit de parler un seul mot d'allemand ou d'alsacien. Combien d'entre nous ont dû se battre sous l'uniforme français, puis allemand, puis français, enrôlés de force !

Et pourtant, nous avons vécu un miracle : jamais, dans l'histoire du monde, il n'y a eu une réconciliation aussi rapide que celle des Français et des Allemands, deux peuples qui s'étaient pourtant massacrés sur des générations et des générations. Cet exemple n'est hélas ! pas près de se répéter. C'est l'un des rares cas où une guerre terrible aboutit à une réconciliation entre deux peuples.

Quant à moi, je hais la haine.

Pourquoi y a-t-il de l'argent?

Ceyda, 10 ans

Parce qu'il est nécessaire au commerce. Avant, il y avait le troc, qui manquait de précision. Avec l'argent, les choses ont un prix défini.

Dans un premier temps, les hommes ont utilisé des monnaies de métal, frappées d'une effigie. L'or était lourd à transporter mais facile à piller. Avec l'invention de la monnaie papier, l'argent est devenu plus maniable, mais hélas! combustible. C'est pourquoi on dit qu'il nous brûle les doigts. Désormais, grâce aux cartes bancaires, on peut dépenser de l'argent sans le voir lorsqu'il se jette par la fenêtre.

Les animaux ont-ils des sentiments?

Rafaël, 13 ans

Oui, les animaux ont des sentiments. C'est assurément le cas des mammifères, et notamment des chiens, qui ont des sentiments compatibles avec ceux des humains. Ils nous donnent affection, fidélité, reconnaissance. Ils perçoivent notre humeur, nous consolent dans la tristesse et partagent nos joies. Ce sont les seuls animaux qui frétillent de la queue (avec les dinosaures, bien entendu)!

En plus des sentiments, les chiens ont aussi des pressentiments. Un jour, le curé de notre village était en déplacement dans son automobile, accompagné de son chien. Celui-ci s'est mis à aboyer et à se comporter comme un effréné. Le curé a arrêté la voiture pour sortir le chien, et voilà que sa voiture s'est enflammée et transformée en une fournaise !

Je pourrais remplir des pages sur le comportement des animaux domestiques, la sensibilité et l'intelligence des cochons, la sagesse des chevaux, la perspicacité des oies, l'esprit d'équipe des moutons et la bonhomie des vaches.

Les félins sont moins aptes aux effusions. C'est un fameux numéro de cirque que celui où l'on voit le lion marquer son affection pour son dompteur en le dévorant. Il y a aussi le comportement des animaux entre eux, comme les funérailles, les cimetières, le deuil des éléphants… qui montrent qu'ils éprouvent des sentiments les uns pour les autres. Combien d'animaux, surtout parmi les oiseaux, sont monogames et fidèles à leur conjoint jusqu'à la mort ?

Quant aux insectes, je ne sais pas s'ils éprouvent grand-chose. Mais je doute que ce soit par amour que la mante religieuse dévore son partenaire après l'accouplement.

Quand est-ce qu'un enfant commence à penser?

Laura, 9 ans

Sans doute dès sa naissance, et définitivement à partir du moment où sa vision se précise. La pensée est alors essentiellement instinctive. Ce n'est qu'un peu plus tard, avec la parole et le vocabulaire, qu'il commencera à formuler sa pensée.

Avant cela, gémissements et hurlements vous annonceront sa faim ou sa douleur, à moins qu'il ne braille pour attirer l'attention. Par contre, une risette manifeste déjà très tôt les émotions. Et sans pensée, comment les éprouver?

Dieu est-il un homme ou une femme?

Martin, 9 ans

Cela dépend des religions. Pour les chrétiens, les musulmans et les juifs, Dieu est un mâle, ayant créé l'homme à son image et la femme, ensuite, pour lui tenir compagnie. Dans la mythologie grecque, latine et hindouiste, les déesses foisonnent. Chez les animistes, ce sont les animaux qui sont déifiés. Chez les Égyptiens, les dieux et les

déesses ont des têtes d'ibis, de taureau ou de faucon, montées sur des corps humains.

Un dieu est quelqu'un que l'on adore aveuglément, on lui érige des autels, des temples pour le vénérer.

Ceux qui adorent l'argent bâtissent des banques.

Ceux qui glorifient la gastronomie, des restaurants trois étoiles.

Et ceux qui, comme moi, adorent le travail construisent un atelier favorable à l'inspiration, qui atteint parfois des proportions divines.

Un dieu est là pour être adoré. De nos jours, il est souvent remplacé par des dictateurs, des stars de cinéma et de rock'n'sport. On leur voue un culte aveuglé. Ainsi, on peut choisir entre un dieu mâle ou femelle, il y en a pour tous les goûts.

Pourquoi j'existe toujours?

Marco, 5 ans

D'abord, on n'existe pas toujours, mais seulement tous les jours de notre existence. Et après? On risque d'aller exister ailleurs… Pendant le sommeil, on existe moins. C'est pourquoi le fainéant existe peu.

Exister, cela consiste à être conscient de sa présence sur terre et à agir en conséquence. Cela nécessite d'avoir les yeux grands ouverts!

Je n'aime pas perdre.
Pourquoi c'est un défaut ?

Camille, 12 ans

Si l'on n'aime pas perdre, ce n'est pas la peine de gagner. Les Anglais ont un mot pour cela, le *fair-play*.

Lorsque je joue au Scrabble, ce qui m'intéresse, c'est la beauté du jeu, et je suis prêt à perdre quelques points afin que mon «adversaire», que je vois plutôt comme un «partenaire», puisse caser un grand mot qui donnera, à son tour, une dimension au jeu plus étendue et qui pourra même, en fin de compte, m'avantager !

Vouloir gagner à tout prix gâche la joie du jeu ! Et le pire, c'est lorsque le désir de gagner vous pousse à tricher, ce qui est parfaitement méprisable.

Dans ce registre, je ne connais rien de pire que les émeutes déclenchées par les supporteurs d'une équipe de football perdante.

Pourquoi doit-on apprendre des choses?

Alexandre, 5 ans et demi

Parce que la cervelle, tout comme l'estomac, doit être alimentée. La mémoire demande à être nourrie de nouvelles connaissances.

D'ailleurs, imaginez un peu combien les dromadaires seraient intelligents s'ils avaient leur cervelle dans leur bosse. Ils pourraient y fourrer quantité d'enseignements.

Aller à l'école n'est pas une corvée mais un privilège. Que faire si votre professeur est pénible, ennuyeux et injuste? Facile: essayer d'en savoir plus que lui, pour le neutraliser.

Les connaissances enseignées à l'école ne suffisent pas. J'ai accumulé avec passion un savoir dans les domaines les plus divers. Petit, en collectionnant les timbres, j'ai découvert une géographie pleine de noms surprenants: Wallis-et-Futuna, Tanganyika, Costa Rica... À vélo, je parcourais des kilomètres à la recherche de fossiles ou de minéraux. À 17 ans, j'eus la fierté de découvrir un gisement de poireautite (minéral radioactif) qui fut plus tard encerclé, de façon officielle, d'un grillage. Même quand je voyageais en auto-stop, j'avais un marteau de géologue et un sac à dos alourdi de pierres. J'ai fait une très belle récolte de magnétites en Laponie. Au Canada, je suis tombé sur une fleur très rare, *Albino Arethusa*. La société botanique m'a confirmé que j'étais le troisième à en avoir officiellement trouvé une.

C'est passionnant d'apprendre des choses, surtout si elles sortent de l'ordinaire.

Qu'est-ce qu'il y aura sur la planète après nous?

James, 4 ans

Sous l'effet d'une pollution mondiale, les humains auront disparu ainsi que toutes les espèces frétillantes… Sauf les rats! Les rats sont des spécialistes de la survie.

C'est pourquoi ils ne tarderont pas à prendre notre place. Ils s'installeront dans nos habitations, investiront les lieux publics, visiteront les musées et se mettront à fréquenter les bibliothèques pour y dévorer un savoir énorme, qui ne tardera pas à développer leur intelligence. Ils apprendront à s'organiser en constituant une société guidée par la cupidité et la soif du pouvoir. Grâce à une succession de conflits, ils se trucideront entre eux, évitant ainsi la surpopulation. Jusqu'au jour où un rat prix Nobel inventera un virus exterminateur. Celui-ci sera si efficace que tous les rats des différentes factions seront rayés de la liste des vivants. Comme quoi tout se répète! Même l'éternité et le néant.

Lorsque maman se fâche,
elle me dit souvent :
« Il n'y a pas de "mais !" »
Mais moi, je crois que cela existe,
le « mais », dans la vie.
Alors ?

Marco, 5 ans

Dis-lui qu'elle est pé-da-go-gi-que-ment archaïque ! Ce genre de remarques remonte à une époque où l'on disait que les enfants devraient être « vus mais pas entendus », comme le voulait le dicton anglais : *« Children should be seen but not heard. »* On ne leur donnait pas la parole. Leurs opinions, leurs demandes d'explication étaient ignorées. Moi-même, qui étais de loin le plus jeune de la famille, j'ai beaucoup souffert d'être traité comme un petit rien du tout. Lorsque j'essayais de m'exprimer, tout le monde se mettait à pouffer de rire.

Mais non ! Les enfants ont le droit à la parole. Les petits ne sont pas des imbéciles. Ils savent d'où viennent les bébés, mais ignorent d'où viennent les adultes.

Nos trois enfants ont toujours eu voix au chapitre, et souvent même à s'exprimer par le vote. En se liguant tous les trois, ils avaient la majorité absolue contre ma femme et moi.

C'est ainsi qu'un jour ils nous ont fait déplacer le sapin de Noël!

La vérité sort de la bouche des enfants. Ils ont un bon sens inné, s'expriment sans détour et, par leur naïveté, sont souvent plus proches de la réalité.

Pourquoi, dans les histoires, c'est toujours les Noirs les méchants?

Elisa, 6 ans

Pour les Noirs, ce que tu dis m'étonne. Il faudrait me donner un exemple, car je me suis fait en général la remarque inverse. Dans *La Case de l'oncle Tom*, par exemple, ce sont les Noirs qui sont les victimes de l'injustice et de l'esclavage.

Et même s'il est vrai qu'on trouve parfois, dans les anciens albums, des sauvages cannibales occupés à popoter des missionnaires, je leur donne raison. À ceci près que, même bouillis, les missionnaires sont à mon goût encore un peu trop coriaces et filandreux.

Pourquoi certains matins on est de bonne humeur et pas d'autres fois?

Ludovic, 11 ans

C'est le résultat de mauvais rêves qui rongent le sommeil. Ou bien la mauvaise humeur est due à l'idée d'avoir à faire face à des défis trop ardus. Ou encore, elle vient d'une simple chute de la pression atmosphérique. Si tu te réveilles de mauvaise humeur, j'ai un conseil : passe à l'attaque sans hésiter. La journée t'attend, à toi de la conquérir. Pour cela, rien de tel que d'entonner une petite chanson. Par exemple, *Le Chant du départ* :

> *« La victoire en chantant*
> *Nous ouvre la barrière*
> *La Liberté guide nos pas*
> *Et du Nord au Midi*
> *La trompette guerrière*
> *A sonné l'heure des combats… »*

C'est un chant qu'on m'a inculqué chez les scouts, quand j'étais petit, qui me revient en tête dans ces cas-là. Te voilà équipé, bonne chance.

Comment les hommes sont arrivés sur la Terre?

Pauline, 5 ans

Ils sont originaires d'une autre planète, aujourd'hui disparue. À l'époque, ils avaient contacté une agence de tourisme interspatiale, qui leur garantissait un séjour inoubliable dans un monde saturé de surprises. Hélas! il n'était pas spécifié que le retour n'était pas inclus dans les frais de voyage. Largués et un peu simiesques à l'origine, ils se multiplièrent pour peupler la Terre entière. Cela explique pourquoi les migrations et le tourisme font partie de notre héritage génétique.

Pourquoi les grands disent toujours qu'ils n'ont pas le temps ?

Lucia, 9 ans

Parce que leur temps est absorbé par le travail.

Imaginez père et mère après une journée de labeur. Il leur faut encore préparer le dîner, ranger, faire le ménage, mettre les enfants au lit, parfois sans même avoir le temps pour une comptine ou une berceuse.

J'habite en Irlande, où j'observe que les camionneurs et les livreurs emmènent souvent les grands-parents ou les enfants les plus jeunes de la famille avec eux dans leurs tournées.

Je me dis que tout serait bien différent si les parents emmenaient plus souvent les enfants sur leur lieu de travail.

Pourquoi les adultes fument ? Ils savent bien que ça fait du mal…

Émilie, 10 ans

Il s'agit d'une habitude qui, peu à peu, se transforme en besoin et en addiction. Les cigarettes sont tout aussi néfastes que l'alcool. On en est l'esclave, et je suis bien placé pour le savoir. J'ai tout essayé pour me débarrasser de la cigarette, rien à faire.

J'ai commencé à fumer à 15 ans. Je me souviens de ce goût affreux, qui donne une bouche pâteuse, des gencives irritées, des poumons asphaltés. Le tabac met la gorge et le nez dans un état constant d'irritation.

Tout ça pour une manie écœurante ! Et pourtant, je fume encore. J'implore parfois sainte Nicotine, la patronne des fumeurs, de me libérer, mais pas moyen !

Comme quoi, les mauvaises habitudes ne sont pas toujours les meilleures.

Pourquoi y a-t-il tant de livres?

Manon, 5 ans

Parce qu'il n'y en a pas assez! En effet, une grande partie des publications ne valent pas la peine d'être lues. C'est là – hélas! – un grand gâchis qui coûte la vie chaque année à des millions d'arbres. Mais si neuf livres sur dix sont illisibles, cela explique qu'il nous faut toujours plus de livres.

La lecture est une forme de nourriture, un livre se digère et doit donc être apte à la consommation.

Qu'on lise pour s'instruire ou pour se distraire, il faut apprendre à être sélectif afin de distinguer les qualités d'un ouvrache sans fôtes d'ortogriffes. Moi-même, je dois mon éducation et mon imagination à la lecture. C'est pourquoi je dois vous dire qu'il n'y aura jamais assez de bons livres!

Cela m'amène à vous raconter l'histoire de mon ami Rex Libris. Celui-ci, bibliophile passionné, vivait dans une maisonnette encombrée de livres. Il y en avait partout, même en piles sur la cuisinière; cela faisait belle lurette qu'il n'avait plus savouré un plat chaud, et c'est tout juste s'il pouvait se frayer un sentier jusqu'aux W.-C. Il décida donc de bâtir une annexe à sa baraque pour en faire une bibliothèque. Comme il n'avait pas d'argent, il décida de la construire lui-même, remplaçant les briques et les tuiles par

des livres. L'extension garnie de rayons fut plutôt réussie !
C'est alors qu'il se rendit compte qu'il ne lui restait plus
aucun livre ! Il les avait tous sacrifiés pour la construction
de son annexe !

Pourquoi le big bang s'est-il produit?

Hannes, 6 ans

Mon intelligence a ses limites et je dois avouer que je ne comprends rien à cette théorie du big bang. Cela me dépasse. Pour moi, une étoile, c'est un trou dans le plafond noir du firmament. Ce qui compte surtout, ce sont les trois big bangs de l'existence : la naissance, le jour où l'on tombe amoureux pour la première fois et lorsqu'on passe outre-tombe.

Comment on sait si quelqu'un nous aime?

Emma, 6 ans

En général, cela se manifeste par la tendresse. Il suffit de regarder comme les animaux chouchoutent leurs petits pour comprendre ce qu'est l'amour.

Le problème, c'est que beaucoup de parents et d'amis sont «introvertis», c'est-à-dire qu'ils n'arrivent pas à exprimer leurs sentiments, souvent par timidité.

C'est au moment où il y a des problèmes, de la détresse, des maladies, des tourmentes ou des échecs, que se révèlent la compréhension et la compassion avec toute leur force.

Savoir si l'on est aimé? Cela se ressent par instinct. Si ce n'est pas le cas, il suffit d'aller chercher ailleurs. Ou l'amour est là, ou il vous attend.

Pourquoi les enfants sont-ils plus forts avec la technologie que les adultes?

Diego, 9 ans

Parce qu'ils sont plus éveillés. Le niveau de l'intelligence, chez les êtres humains, commence à baisser à partir de la maturité pour finir dans le gaga.

D'ailleurs, c'est bien connu, nombre de découvertes et d'inventions sont dues à des génies précoces.

C'est à 12 ans qu'Albert Einstein a conçu sa théorie de la relativité en constatant que son père, qui avait une réputation de respectabilité, était en réalité une fripouille. Quant à Isaac Newton, il a découvert la loi de la gravitation universelle lorsqu'une armoire défenestrée du quatrième étage d'un HLM a failli l'écraser sur un trottoir. Il avait alors seulement 14 ans.

C'est pourquoi le droit de vote devrait être accordé aux enfants – et supprimé pour les adultes, qui sont trop nombreux. Et, à l'âge de la retraite, tous les soins médicaux devraient leur être retirés.

Est-ce que c'est bien qu'il y ait des zoos?

Rebecca, 9 ans

Il y a quelques années, j'ai visité un pays peuplé et administré par des animaux. Déguisé en singe, je passais là-bas incognito. Et j'ai découvert des zoos qui exhibaient des êtres humains. Je me suis dit: «Si ces *Homo sapiens* n'étaient pas protégés dans leurs cages, ils auraient été dévorés depuis belle lurette par la populace carnassière.»

Qui a créé Dieu?

Georgios, 6 ans et demi

Les dieux ont été créés par les hommes, parce qu'ils en avaient besoin pour affronter l'inexplicable. Le feu, la foudre, la mort, les séismes… Ignorant la cause de ces phénomènes, on s'est adressé à l'inconnu, on l'a amadoué par des sacrifices. La prière a été très efficace pour calmer la peur. De rite en rituel, cette croyance a évolué en religion, procurant aux hommes un espoir nécessaire à la survie.

Car Dieu existe pour ceux qui croient en lui! Irréfutablement. On lui dédie des temples, des cathédrales, des mosquées qui sont autant de pied-à-terre, où il peut descendre entre deux voyages dans le ciel.

L'homme a créé la plupart des dieux à son image, et quelquefois à l'image d'animaux symboliques.

Et les dieux sont nombreux! Un mille-pattes ne saurait compter sur ses doigts le nombre de divinités de l'hindouisme, pas plus que le nombre de saints catholiques.

Dans une religion vraiment moderne, il nous faudrait concevoir un dieu pour l'énergie atomique, pour le rock'n'roll, voire pour la télévision, la Banque de France et le prêt-à-porter, etc. On pourrait rendre un culte à chacune de ces idoles devant un petit temple qui lui serait consacré.

Enfin, il y a des gens qui trouvent Dieu dans la nature, avec sa beauté infinie. Ce sont les esthètes, qui vénèrent tout simplement la beauté.

Ainsi Dieu est partout, abordable par chacun selon son état de grâce.

Est-ce que c'est intéressant, de mourir?

Giovanni, 4 ans

On craint la mort parce qu'on l'accuse à tort de toutes les agonies et de toutes les fatalités. Elle n'intervient que pour finaliser les fléaux naturels ou ceux provoqués par l'homme. Maladies, catastrophes ou guerres ne sont pas de son ressort. Elle ne fait que récolter.

La mort est à la fois douanière et hôtesse. Elle vous accueille pour un safari, une aventure dans un autre monde. Un soulagement pour certains, un deuil pénible pour ceux qui restent. Elle respecte la «Déclaration universelle des droits de l'homme» et veille à ce que nous mourions tous égaux.

Pour ceux qui ont foi dans une religion, il y a dans ce transfert une forte dose d'appréhension. Devant la menace d'un jugement dernier, quelle sera la sentence? L'enfer ou le paradis? Tous les deux à perpétuité comme une condamnation.

Et encore, tout est relatif: et si l'enfer était le paradis du diable? Qui sait si les tyrans, les criminels et les sadiques n'y tiendraient pas une place de choix, comme tortionnaires peut-être, en reconnaissance des sévices et des services rendus de leur vivant. Alors que le paradis ne serait qu'une

morne plaine où la paix éternelle plongerait dans un état d'ennui et de lassitude perpétuels.

Pour ce qui est de l'au-delà, c'est finalement le mystère. Depuis l'aube de son existence, l'homme s'est interrogé, pratiquant exorcismes, sacrifices et sortilèges pour s'attirer les faveurs de l'inexplicable. On doit à ces procédés la peinture et le rythme, qui nous a donné la musique, les temples et les pyramides, ainsi qu'une littérature abondante en révélations. Alors, pourquoi vouloir expliquer l'inexplicable ? Pour ma part, je trouve que le mystère est une forme de suspense titillant. Poussés par la curiosité, ne devrions-nous pas être impatients de mourir pour savoir enfin ce qui nous attend ? L'ignorance, dans ce cas, est aussi une forme de liberté. La mort est une certitude, et ma présence à mon enterrement en est sans doute une aussi.

Alors, est-ce intéressant de mourir ? Évidemment ! Tout est possible. Un jour, à l'hôpital, dans le coma, au bout d'un tunnel, je me trouvai ébloui par une indescriptible lumière ! Je me sentais délivré de toute culpabilité. D'autres ont fait cette expérience. Était-ce mon imagination qui cherchait à sublimer un état proche du rêve ? Si nous avons une âme qui survit à notre dépouille, il faut bien lui trouver une place (sinon, c'est la grande vacance) ! Pourquoi pas un arc-en-ciel ?

Pourquoi la saleté existe?

Lou, 8 ans

Parce qu'elle est inévitable et qu'elle a un besoin impérieux de s'accumuler en crasse.

Elle forme un terrain propice aux microbes transmetteurs de maladies. L'hygiène, cette organisation de la propreté, est une notion assez moderne. On lui doit la surpopulation.

La propreté est donc une discipline, surtout dans une société de robinets. Mais combien de gens vivent dans un milieu où l'eau n'est pas courante?

Il y a aussi des saletés qui pourrissent notre conscience.

P.-S.: J'ai eu un ami manchot. Durant la guerre, une grenade lui avait pulvérisé les mains. Chaque matin, pourtant, son épouse obsédée d'hygiène lui demandait s'il s'était lavé les mains!

C'est quoi, l'esprit ?
Le courant dans mon corps ?

Hugo, 3 ans

Oui, si on le branche sur une ampoule. Car l'esprit est une source de lumière qui éclaire l'intelligence.

Il est aussi la preuve que nous sommes bien vivants.

Pourquoi les adolescents se croient-ils plus grands que les autres?

Naïs, 10 ans ¾

Parce qu'ils s'entraînent à l'être un jour. Par besoin de s'éprouver, afin de se découvrir. Se donner de l'assurance pour se préparer à l'âge adulte. Lorsqu'on n'est pas sûr de soi, on se donne de l'importance, comme le jeune coq qui pousse ses premiers «cocorico». L'adolescence est un stade de métamorphose difficile, un cocon plein de mayonnaise. On n'est plus chenille, et pas encore chrysalide.

Mais de toute façon, rassure-toi: être plus âgé, ça ne «vieux» rien dire. Combien d'enfants sont bien plus malins que des adultes?

Et il y a toujours un moyen de désarçonner l'arrogance avec une remarque amusante, préférablement absurde, pour la ridiculiser. Ainsi, durant un congrès, je me suis fait agresser par une dame acariâtre. Pour toute réponse, je lui ai demandé pourquoi elle avait une aussi affreuse dentition. Cela l'a laissée sans réponse, avec l'envie de me flanquer une gifle!

Pourquoi, dans le monde, y a-t-il tout ce dont nous avons besoin?

Jessica, 8 ans

… et aussi tout ce dont nous n'avons pas besoin! Il s'agit, ici, de faire la différence entre l'inutile et le nécessaire à la survie, comme le pain quotidien, l'eau pour la soif et la lessive, les vêtements contre le froid, un air respirable… Le nécessaire est mal réparti, mal partagé, mal approprié. Parce que le monde est régi par la rapacité et l'injustice.

Contrairement aux miséreux qui n'ont pas les moyens de se procurer l'essentiel, les riches se vautrent dans le superflu. Cela explique la multitude de boutiques qui ne vendent que des produits éphémères en vogue (les tribus nudistes de l'Amazonie ignorent la haute couture!).

Les besoins se manifestent dans tous les domaines.

Le besoin de justice, de paix et de liberté…

Le besoin d'affection, de respect, de partage…

Produits qu'on ne trouve pas dans le commerce. Imaginez un magasin où vous pourriez acquérir 350 grammes de tendresse, 1 kilo de compassion, 2 livres de politesse, avec des soldes de 20 % sur la gratitude!

Une profession ne s'exerce qu'à l'aide des outils nécessaires. Que ferait un bourreau sans hache ni potence? Un instituteur sans élèves?

Il y a aussi les besoins administratifs. Comment voyager à l'étranger sans passeport ? Il est indispensable d'avoir un permis de conduire pour avoir un accident de voiture.

On pourrait rédiger une liste sans queue ni tête de tous les besoins imaginables. De spiritualité, de conseils, de savoir… Et pourtant, il y a ceux qui se satisfont de peu ! Ainsi le Bédouin qui se nourrit de quelques dattes, à l'ombre de son chameau, ou saint François d'Assise qui quitta son domicile familial tout nu afin de recommencer sa vie sans rien !

Ceux qui ont tout ce dont ils ont besoin sont – hélas ! – facilement gâtés, sinon pourris par le gaspillage. Les cornes d'abondance travaillent à plein rendement pour fournir les décharges publiques (chaque restaurant devrait héberger un cochon pour le nourrir de beaux restes).

Mais toute histoire a besoin d'une fin, telle une soif assouvie, qu'on pourra recycler en petit besoin.

Pourquoi se pose-t-on toujours des questions?

Matteo, 7 ans

Pour satisfaire sa curiosité, parfaire ses connaissances et combler ses lacunes.

Il y a deux sortes de questions.

Les concrètes, qui concernent les connaissances factuelles. Dans ce cas, les réponses permettent d'acquérir des savoirs.

Et les abstraites, qui concernent les émotions, la conscience ou le sens de l'existence. Dans ce cas, les réponses ne sont pas définitives et demandent à être interprétées.

Quoi qu'il en soit, n'hésitez pas à poser autant de questions que possible et, bien sûr, à consulter des dictionnaires et des ouvrages spécialisés. C'est une question d'éclairage. Quand vous avez la tête pleine de lanternes, vous pouvez commencer à émettre de la lumière.

Les questions se posent tantôt comme un avion sur la piste, tantôt comme un oiseau sur la branche. Comment ces deux-là font-ils pour voler, d'ailleurs? L'avion, sans plumes, et l'oiseau, sans réacteur?

Pourquoi dormons-nous?

Ceyda, 10 ans

C'est un rythme judicieusement imposé par la nature. Le sommeil nous est imposé afin que nous puissions récupérer nos forces. Sans lui, ce serait l'épuisement total. Il en va de même pour les animaux, dont certains, comme l'ours ou le hérisson, passent tout l'hiver en état d'hibernation. Ce n'est heureusement pas notre cas. Imaginez les hommes endormis pendant toute la saison morte! On se réveillerait au printemps, au milieu des inondations, car le gel hivernal aurait fait éclater toutes les canalisations de nos habitations.

Pourquoi faut-il mettre les choses à l'endroit?

Valentine, 3 ans

Pour que l'ordre règne, il faut mettre les choses à leur place attitrée dans la bonne position. On n'enfonce pas un clou en tapant sur sa pointe, un robinet installé à l'envers inonderait le plafond et n'a pas sa place dans un salon, et il faudrait se mettre sur la tête pour regarder un tableau accroché par ses pieds, sauf s'il est abstrait.

Et pourtant, l'envers des uns est l'endroit des autres. Nous écrivons et lisons de gauche à droite. L'arabe et l'hébreu procèdent à l'inverse, donc pour nous à l'envers. L'ara est un perroquet de la famille des palindromes, il se lit dans les deux sens, sans endroit et sans envers, comme Ève, Laval et «Ésope reste ici et se repose». Il en va de même d'une boule, à condition qu'elle soit placée à son lieu attitré comme la bille dans son roulement. On pourrait ajouter qu'un retour, c'est un départ à l'envers, que le jour c'est la nuit à l'endroit, qu'avec la vérité et le mensonge il en va de même.

En principe, l'ordre et la discipline dont il dépend sont nécessaires au bon fonctionnement de notre vie. Comment ouvrir une porte si l'on ne trouve pas ses clés et comment irions-nous aux toilettes si le petit endroit était à l'envers?

P.-S.: Il n'y a que la médaille dont l'envers soit un revers, et la monnaie qui ne fasse aucune différence entre pile et face.

Mes poux, une fois qu'ils sont morts, est-ce qu'ils vont au cimetière?

Louis, 3 ans

Les poux n'ont pas de cimetière parce que :

A. Il est impossible de creuser une tombe dans le cuir chevelu.

B. Les poux sont des individualistes qui ne savent pas s'organiser.

C. Ce sont des mécréants qui ne croient pas en la vie éternelle, alors que beaucoup d'entre eux sont la réincarnation de cancres, de paresseux et de parasites asociaux.

Pourquoi l'or a-t-il tant de valeur alors qu'on ne peut rien faire avec ?

Yasmin, 9 ans

L'or est un métal inaltérable. Aucun acide ne peut l'abîmer. C'est ce qui lui donne sa valeur, ainsi qu'au platine et aux pierres précieuses. Il est indispensable à la fabrication des anneaux de mariage et autres bijoux dont la principale utilité est d'orner les femmes élégantes.

L'or exerce une fascination excessive, qui tourne en fièvre chez les orpailleurs. Adoré sous la forme d'un veau, son dieu s'appelait naguère Mammon. De nos jours, il est en général stocké dans les banques, sous forme de berlingots. Ou alors on le pend autour du cou des athlètes aux Jeux olympiques, sous forme de médailles.

C'est vous qui avez toujours raison quand vous répondez aux questions?

Lou, 8 ans

Pas nécessairement. Combien sont persuadés d'avoir toujours raison? C'est une forme de prétention, une infirmité à sens unique qui élimine la discussion et le compromis. C'est la spécialité des fanatiques et des dictatures d'opinion qui condamnent toutes les contradictions.

J'ai horreur des conversations qui tournent à la dispute. C'est pourquoi ma devise est: «Du moment que chacun a raison, tout le monde a tort.»

La raison, lorsqu'elle est élastique, donne aux questions de multiples réponses. Or l'élastique, ça sert aussi à fabriquer des lance-pierres.

Après que j'ai répondu à l'une de vos questions, j'estime qu'il n'y a pas de mal à changer d'avis.

Comment on apprend à être papa?

Simon, 6 ans

Le rôle du père a bien évolué. Jadis, il imposait le devoir et la discipline, raclées à l'appui. Les cadeaux ont maintenant remplacé les verges et les martinets. Moi-même, j'ai administré quelques bonnes fessées à mes enfants. Pour rétablir l'équilibre des forces, je me mettais parfois à genoux en leur disant: «Maintenant, c'est à vous de me punir.» Dans ces cas-là, ils me rouaient de coups sur le derrière avec leurs petites mains!

J'ai perdu mon père à l'âge de 3 ans et demi. Voici l'un des rares souvenirs que j'ai conservé de lui : un géant (pour un petit, tous les adultes sont des géants) m'avait pris pendant le repas sur ses genoux et pinçait mes narines entre son pouce et son index afin que, cherchant à respirer, j'ouvre la bouche, dans laquelle il enfournait des épinards. Car je détestais les épinards. Aujourd'hui, c'est l'un de mes légumes préférés.

Cela ne change rien au fait que mon père était, selon mes frère et sœurs aînés qui s'en souviennent mieux que moi car ils sont plus âgés, un homme remarquable par son enthousiasme et son affection. J'ai été élevé dans le mythe de cet homme remarquable en tout point par ses talents et son originalité. Mais qui était, tout de même, un tyran.

Les enfants veulent pouvoir être fiers de leur papa. Ils ont besoin de l'admirer et de le respecter. Or, tous les papas ont des défauts. Il y en a qui sont distants, colériques, impatients, assombris par les tracas, ou qui se disputent avec maman…

La plupart des pères essaient d'inculquer à leurs enfants leurs goûts et leurs convictions. Mais chaque petit a le droit de questionner et d'avoir son opinion à lui. Il faut pour cela avoir le courage de s'exprimer. « Cela n'est pas juste ! » « Ce n'est pas de ma faute ! » « Je ne suis pas d'accord ! » Ainsi, ce sont finalement les enfants qui apprennent à leur père à être papa. Cela grâce à la réciprocité d'un amour instinctif : face à cet être unique et irremplaçable qu'est notre père, nous éprouvons le besoin d'aimer et d'être aimé.

C'est quoi, le temps?

Samuel, 4 ans

Le temps est sans origine. Il entre dans la composition de l'éternité. Il était déjà là avant la création du monde. Il échappe au contrôle des divinités. La chorégraphie des planètes lui a donné son premier rythme. L'homme, dans son besoin de structuration, l'a compartimenté, subdivisé, des années-lumière aux nanosecondes. À cette fin, il a développé des instruments de mesure : cadrans solaires, sabliers, clepsydres et, depuis la fin du XIIIe siècle, horloges mécaniques, dont les aiguilles tricotent les secondes en minutes et en heures.

Les secondes envient les heures, les semaines sont jalouses des années, et les siècles regrettent le passé. Ainsi le temps s'est-il vu affublé de calculs, de dimensions d'évaluation éphémères qui le laissent complètement indifférent.

Pour nous, le temps devient un espace entre deux événements lorsqu'il s'agit du passé.

Celui-ci est séparé du futur par une fine membrane qu'on appelle le présent. Nous vivons une succession de moments qui s'agglomèrent en chronologie.

La tyrannie de la précision se manifeste par l'imposition des dates, des agendas, de leurs horaires et des calendriers. On lui doit l'impatience, le stress, les réveille-matin... et l'extrême-onction. Nous sommes donc embrigadés sous un régime de ponctualité, alors que le temps est nécessaire au retard.

Il y a quand même des moyens de rester librement intemporel. Pour ma part, je refuse d'avoir l'âge de mes années. Les durées sont relatives, les bons moments s'écoulent plus vite que les mauvais. S'il me faut cinq minutes pour finir une cigarette et que le village se trouve à vingt minutes d'ici, celui-ci se trouve à quatre mégots de moi. Une façon de narguer les contraintes horaires.

Je préfère prendre mon temps et le garder, plutôt que le tuer par manque d'occupations. Entre la naissance et la mort, nous avons le temps d'une vie, donc d'une succession de moments élastiques, mesurés par nos humeurs, enthousiasmes et déceptions, pour finir dans le repos d'un temps mort.

Ceux qui ne dorment pas la nuit, qu'est-ce qu'ils font des rêves quand ils viennent?

Simon, 5 ans

Comme à des émigrés, on leur fait une place dans notre imagination.

Pourquoi on ne mange pas la viande des gens qui sont morts?

Léon, 4 ans

Nous tuons les animaux pour les manger. Ils sont donc morts avant qu'on les débite pour la consommation. Il vaut sans doute mieux ingérer une viande morte qu'une viande encore vivante, tel un ogre friand de nouveau-nés, avec un peu de gros sel, des gousses d'ail et un quignon de pain paysan.

La guerre elle aussi est une boucherie, avec des soldats, des masses de civils et d'enfants qui passent à l'abattoir. Pourquoi ces victimes ne seraient-elles pas aptes à la consommation, alors que les conflits sont souvent suivis de pénurie dans l'alimentation ? Parce que ce serait du cannibalisme.

Un tel gâchis pourrait paraître absurde. Pourquoi ne pas se rassasier d'un cassoulet de belle-mère, d'une blanquette d'adolescent ou d'andouillettes de septuagénaire ? Et que non ! Nous partageons avec beaucoup de mammifères l'aversion envers une nourriture qui proviendrait de notre propre espèce. C'est tout simplement dans la nature.

Si les humains se dévoraient entre eux, ils auraient disparu depuis longtemps. Avec la surpopulation actuelle, dans un monde en grande partie affamé, il sera sans doute bientôt nécessaire de surmonter notre instinct pour apprendre à nous rassasier de notre prochain.

Pourquoi certaines personnes aiment se moquer?

Zakaria, 9 ans

En général, la moquerie est une forme de méchanceté. Souvent injuste, quand elle s'applique à ridiculiser un individu pour sa différence, ses faiblesses, ses infirmités.

Rien de pire que la moquerie par laquelle un groupe s'en prend à une personne isolée et innocente. Ce genre de moquerie est méprisable, par sa lâcheté.

La moquerie a souvent pour origine le préjugé et la discrimination. Je me souviens d'avoir eu, après la guerre, un professeur de français qui avait pris en grippe ses élèves alsaciens et qui s'amusait à se moquer de leur accent. À moi qui adorais lire, il disait: «Perdez votre accent allemand avant de vous intéresser à la littérature.» C'était une époque où l'on nous traitait, partout en France, de «sales Boches». Je sais donc ce que c'est que d'être un sale Juif, un sale Nègre, un sale Arabe… Comment ai-je réagi? Non seulement j'ai conservé mon accent, mais je l'ai cultivé, car il symbolise mon identité, et j'en suis fier.

Mais, par ailleurs, en tant que satiriste, la moquerie fait aussi partie de mon travail. Seulement, dans les dessins et les histoires, je me sers de la moquerie pour dénoncer les vices et les travers de la société, et les personnages qui en sont responsables, spécialement les politiques. Là, oui, je m'acharne avec ma plume accusatrice, et j'y prends plaisir.

Cependant, pour garder bonne mesure, j'aime bien aussi me moquer de moi-même, de ce que je suis et ce que je fais, en me ridiculisant volontairement. Après tout, nous sommes tous notre propre caricature.

Pourquoi l'eau coule?

Sean, 6 ans

Parce qu'elle est fluide. Elle tombe en gouttes de pluie ou en larmes, pour former des flaques et suivre ensuite son cours avec assiduité. Elle se laisse aussi aller dans le calme d'un lac, où elle devient dormante. Lorsqu'elle atteint la mer, elle rejoint une communauté salée de vagues et de marées. C'est moins rigolo lorsqu'elle est absorbée par la terre pour former des nappes phréatiques, ce qui ressemble à une forme de captivité.

À l'air, elle s'évapore pour se refaire une santé. Mais l'eau est fragile, facilement polluée ; elle peut également devenir un bouillon de culture qui héberge des maladies. Elle ne coule donc pas toujours des jours heureux !

On dit que chaque être vivant sert à quelque chose. Et nous?

Nina, 12 ans

Mais les « nous » sont des êtres vivants, au même titre que les « vous », les « ils » et les « elles » ! Chacun dispose de facultés, de talents, de capacités qui sont nécessaires au fonctionnement de la société. C'est donc notre responsabilité de nous rendre utiles et ustensiles, comme des roues dans un engrenage. Tout peut servir, même un sourire ou un bon coup de colère !

Pourquoi certains ça se voit quand ils mentent, et d'autres pas?

Antonin, 7 ans

Les menteurs bien entraînés savent s'y prendre! Sans hésitation, en vous regardant droit dans les *zieux,* ils vous débitent leurs élucubrations avec la plus grande conviction. Souvent, ils croient à leurs propres tromperies. Cela pour se rendre intéressants ou se tirer d'affaire.

Beaucoup d'enfants, par contre, mentent par peur d'être punis. Quand j'étais petit, j'avais un professeur, un certain monieur N., qui avait l'habitude, quand il nous faisait réciter nos poésies, de nous tenir par l'oreille. Si nous nous arrêtions de réciter, il nous pinçait ou nous tournait l'oreille comme un bouton de radio. Il me terrifiait. Un jour, paniqué parce que je n'avais pas fait mes devoirs, je me suis enveloppé l'index droit d'une bande de sparadrap. J'ai annoncé que je m'étais fait mal. Il m'a lancé un regard glauque derrière ses lunettes et m'a lancé : *Injérère,* arrachez ce pansement!

Je lui ai obéi et lui ai révélé un doigt intact ! C'est comme ça que je me suis retrouvé avec ce commentaire dans mon carnet scolaire : « *Élève menteur* »! Moi qui jusque-là n'avais jamais menti…

Tôt ou tard, les mensonges remontent à la surface et

nous donnent mauvaise réputation. Une fois celle-ci établie, personne ne vous croit plus, même lorsque vous dites la vérité.

Mais le mensonge reste essentiellement une affaire de conscience. Mentir, c'est un problème dans la mesure où cela n'aide pas à avoir le respect de soi-même.

Le goût pour l'exagération est une variante du mensonge, qui exerce sur moi une tentation assez grande, je l'avoue, et que j'essaie de contrôler au mieux. Mais mon métier n'est-il pas de raconter des histoires ?

Est-ce que la Terre est posée sur un train?

Lucas, 4 ans

Non! C'est l'inverse. La Terre est un globe quadrillé par des latitudes et des longitudes. Les longitudes se croisent aux pôles. Les latitudes sont parallèles et varient de circonférence : les deux cercles polaires sont bien plus petits que l'équateur, qui ceinture l'obésité de la planète. La Terre roule sur les rails que sont le tropique du Cancer et le tropique du Capricone. Longitudes et latitudes forment un réseau ferroviaire qui minute le trajet du train-boule dans l'espace.

Serait-il possible que je ne fasse que rêver ma vie?

Ada, 6 ans

Pourquoi pas! Dans ce cas, le rêve serait la réalité, et l'on s'endormirait en se réveillant!

Rêver est une façon gratuite de voyager. C'est donner libre cours à son imagination, en flottant au-dessus de la réalité.

Petit, j'étais un élève très distrait, rêveur. Il suffisait que je regarde passer les nuages, encadrés par les fenêtres de ma classe, pour me laisser emmener, blotti sur ces grandes couettes trimballées par le vent. Alors je jouissais d'une vue exceptionnelle sur la Terre, où mon école n'était plus qu'une chiure de mouche parmi bien d'autres.

Soudain, je me retrouvais à mon pupitre, avec une réprimande assénée par mon professeur. Mais attention! Un jour, je suis resté sur mon nuage, et la classe ne m'a plus jamais revu.

Pourquoi sommes-nous tous différents ?

Joanna, 8 ans

Parce que c'est le privilège des humains et de nombreux mammifères. Si nous étions tous les mêmes, il n'y aurait pas d'individus, et notre existence serait aussi monotone que celle des fourmis, des fanatiques et des bagnards.

Si nous étions tous semblables, il serait impossible de se reconnaître, et les criminels auraient tous les mêmes empreintes digitales.

Est-ce que je peux être le plus fort, même si je suis le plus petit?

Lucas, 4 ans

Mais que oui! Il suffit d'être malin, rusé, d'avoir le sens de la repartie. Tourner la situation en rigolade. Le rire neutralise l'ennemi. La langue est une arme fourchue. Ou bluffer dans l'ésotérique : «Si je te jette un mauvais sort, tu sauras d'où vient ton prochain accident…»

Plus on est petit, plus le défi est grand. Et donc plus on développe sa force de caractère.

Évidemment, il y a l'entraînement à la boxe, les gourdins et les lance-pierres. Mais la violence engendre la violence. Alors, à quoi bon…

Faut-il vraiment avoir une religion?

Zakaria, 9 ans

Ce n'est pas obligatoire. La religion, au départ, nous est imposée par le milieu dans lequel nous sommes élevés. Toute religion est bonne tant qu'elle inspire le respect de la vie, qu'elle encourage le maintien de la paix. Avec le fanatisme, toujours aveugle, la religion devient une excuse pour les pires excès.

Une religion se pratique avec discipline. Encore faut-il avoir la foi pour la pratiquer! Donc l'état de grâce.

Quand j'avais 5 ans, je m'agenouillais chaque soir devant mon lit pour prier, m'adressant au Seigneur dans l'espoir d'obtenir un signe de son existence. Une révélation, si minime fût-elle, aurait suffi alors pour m'illuminer. Mais non, rien… Il n'a pas bougé le petit doigt pour manifester son existence.

Et cela a commencé à m'inspirer quelques doutes. Le jour de ma confirmation, je suis sorti de l'église sans avoir communié. Il m'aurait semblé malhonnête d'avaler l'hostie, de participer à ce rite vaguement cannibale auquel je ne croyais plus.

Mais j'ai gardé de mon éducation chrétienne et protestante de nombreuses règles de conduite : elle m'a enseigné le goût de l'intégrité, de la compassion, du pardon, et surtout de la bonne volonté. Ainsi, je dois une bonne partie de la manière dont je me comporte aujourd'hui à la religion dans laquelle j'ai macéré autrefois.

Il y a quoi derrière les étoiles?

Jana, 7 ans

Derrière les étoiles, il y a d'autres étoiles, des «mirions» de myriades. Certaines sont si éloignées qu'on ne les discerne pas. Le ciel nocturne est comme une forêt vue de loin, dont on n'aperçoit que les arbres plantés en bordure d'orée. Derrière eux se dissimulent des milliers d'autres arbres. Il en va de même avec la première page d'un livre.

Tout espace en cache un autre, jusqu'à l'infini qui lui ne connaît pas de limites.

Pourquoi maman ne veut pas me laisser jouer tout le temps à la PlayStation?

Édouard, 11 ans

Parce qu'elle a raison, et d'autres parents, trop indulgents, devraient réagir comme elle.

Jouer tout le temps à la PlayStation? NON! Parfois? Pourquoi pas…

Jouer à la PlayStation n'est pas une occupation mais une distraction, ça sert à gâcher du temps. Dans le même genre, la rêverie est préférable, car elle laisse à la fantaisie les moyens de papillonner.

Avec la télévision, on peut au moins choisir des programmes instructifs ou distrayants. Mais avoir toute la journée pour seul compagnon de jeu un écran anonyme, cela recroqueville.

Je ne vais même pas prôner les bienfaits de la lecture, du bricolage ou du sport! Mais je vais malgré tout te citer l'exemple d'une fillette de ma connaissance qui, ayant joué à la PlayStation sans interruption pendant trois semaines, fut retrouvée bouffie, hébétée, les yeux enflés sortant des orbites comme des balles de ping-pong rouges, tandis qu'une bave glaireuse dégoulinait de la commissure de ses lèvres gonflées comme des sangsues. Elle avait perdu l'usage de la parole et n'était même plus capable de digérer normalement!

Qui a inventé le feu?

Mattias, 5 ans

Le feu n'a pas été inventé, il a toujours été là, sous terre. Notre planète est comme un gros ventre plein de magma, qui vomit sa lave et crache le feu en cas d'éruption. Le feu trouve aussi en surface ses origines, lorsque la foudre s'abat sur une savane ou une forêt combustible.

L'homme a dû inventer un procédé pour faire du feu. Ce fut au hasard d'une étincelle déclenchée par la friction de deux silex, ce que l'on retrouve dans le briquet de nos jours. Les allumettes sont récentes et suédoises. Combien d'incendies vous diront qu'ils ont été provoqués par des enfants qui s'amusaient avec des allumettes?

Les Grecs anciens racontaient que Prométhée vola le feu à Zeus, le chef des dieux, et le donna aux hommes pour le chauffage, la cuisson et la construction de bûchers, comme celui qui consuma Jeanne d'Arc. Pour ce vol, Prométhée fut enchaîné à un rocher, victime d'un aigle qui, à longueur de journée, se rassasiait de son foie. Mais quel serait le châtiment adapté pour moi qui ai l'habitude d'empocher les briquets des autres?

Pourquoi, quand je ferme les yeux, je vois des petites images?

Louise, 7 ans

Parce que nous avons de l'imagination. Il suffit de fermer les yeux pour se laisser surprendre par un spectacle projeté par notre inconscient. Les yeux fermés sont un écran plus passionnant que celui de la télévision, avec l'imprévu au programme.

Dans le sommeil, ce sont eux qui nous font du cinéma. Que ferions-nous sans nos paupières!

Peut-on penser quand on est mort?

Manon, 6 ans

À cette question, personne à ma connaissance ne pourrait répondre. Lorsque notre âme quitte sa dépouille terrestre, emmène-t-elle dans ses bagages sa conscience, ses souvenirs et le savoir qui s'est accumulé pendant toute une vie? Il n'y a que la mort qui ait réponse à tout; pour cela, il nous faut exercer un peu notre patience. Qui mourra verra.

En attendant, rien ne nous empêche de penser à la mort et à tout ce qui touche à la vie. Autant en profiter pour penser autant que possible de notre vivant! C'est la plus passionnante faculté qui ait été accordée aux humanoïdes.

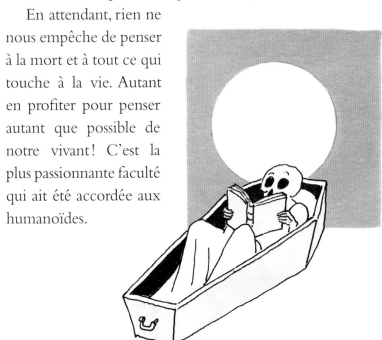

La conscience est la tige de la pensée, l'imagination donne ses couleurs aux pétales.

Ma chanson préférée est allemande, et elle a ce refrain : « *Die Gedanken sind frei* » (« les pensées sont libres ») ! Personne ne peut les deviner ni s'en emparer.

Lorsque, dans mon enfance, j'allais à l'école, alors que l'Alsace avait été annexée par les nazis, on nous disait : « Ne pensez pas ! Le Führer pense pour vous ! » D'autres vous diront que Dieu enregistre vos moindres réflexions. Mais ce n'est pas vrai, votre pensée vous appartient et vous distingue des autres. C'est un grand privilège. Si la pensée devait nous accompagner dans l'au-delà, nous resterions indépendants pour l'éternité.

Qui a construit le ciel?

Tristan, 4 ans

Le ciel n'est ni un couvercle, ni un plafond, ni même un dôme. C'est un espace sans frontières, qui s'étend jusqu'à l'infini. Il est donc inconcevable de l'imaginer avec une charpente, des étais et des piliers. Nos ancêtres les Gaulois avaient peur qu'il vole en éclats comme une grande plaque de verre. Le ciel n'a pas été édifié comme un bâtiment, mais plutôt conçu pour y aménager des astres et des météores qui «gyrovaguent» sans se poser de questions.

Pourquoi de temps en temps j'ai peur de ma famille?

Illona, 5 ans

Une famille est un assemblage de personnes différentes mais unies par les liens du sang. Un vase clos dont les habitants, en proximité incessante, sont soumis à des lois, en général imposées par les parents.

Lorsque l'un des membres est trop différent, de par sa nature, il se trouve incompris des autres. Alors la solitude devient effrayante, comme celle d'un paria. Aucune famille ne se ressemble, pourtant l'harmonie est rarement à l'ordre du jour, et les disputes avec leurs séquelles de rancunes sont un poids souvent insupportable.

Lorsqu'on ressent la peur de sa famille, il faut avoir le courage de l'ignorer, ou l'audace d'en discuter les causes, mais avec peu de chances d'être écouté. Si la famille est une prison, je crois bien qu'il ne reste guère que l'évasion.

Petit, les fêtes de la veillée de Noël m'étaient étouffantes. Après la distribution des cadeaux, je quittais la maison pour errer dans les rues.

On marche avec les pieds, mais on pense avec quoi?

Julia, 3 ans

Principalement, on pense et l'on réfléchit avec la cervelle qui se niche dans le crâne. Mais le corps humain pense un peu partout. L'estomac pense au prochain repas, au bout de chaque doigt il y a une petite cervelle, et le cœur bat au rythme des émotions.

Le poète ne pourrait s'exprimer sans pieds.

Et que ferait le paysan s'il n'avait les pieds fermes ?

Et le cuisinier sans ses pieds plats ?

Et le matelot sans pied-à-terre ?

Sans pied, que feraient le viticulteur, pédicure de sa vigne, et le nudiste va-nu-pieds ?

Tout ça pour vous dire que chaque pied est un accessoire nécessaire, certes, à la marche, mais aussi à bien d'autres fonctions. Évidemment, il y a des pieds qui sont plus intelligents que d'autres. Les miens en tout cas adorent piétiner les plates-bandes de mauvaise herbe.

Pourquoi devons-nous aimer aussi les autres et pas seulement nous-mêmes?

Marion, 6 ans

Notre prochain est un reflet de nous-mêmes. C'est pourquoi il n'y a pas de contradiction entre aimer les autres et soi-même : il s'agit de la même chose.

Comme le disait saint François d'Assise : « C'est en donnant que nous recevons. » Pour certains, aimer les autres relève de la vocation et peut même décider du choix d'un métier. Pour ma part, j'ai une très grande estime pour les infirmières, qui savent soulager la souffrance des autres.

J'avais une tante, Suzanne, diaconesse. Radieuse, elle rayonnait de sérénité et de joie. Rien que sa voix suffisait à vous rassurer. Son sourire était aussi contagieux que sa paix intérieure. Décédée il y a longtemps, elle continue d'illuminer ma vie comme un phare. Elle a été pour moi l'exemple parfait de l'abnégation, de cette joie de donner plus grande que celle de recevoir. Ce que j'appelle « savoir aimer ».

Sinon, c'est la solitude dans l'égoïsme. Replié sur soi-même, ignorant les autres, on se retrouve dans un vase clos, stérile.

Quand je parle, est-ce mon corps ou mon âme qui parle?

Julien, 8 ans

En général, c'est le corps qui dit à l'âme de parler. C'est donc la tête qui s'en occupe, avec, pour carburant, l'oxygène des poumons. Le corps est également propriétaire de la langue, organe nécessaire à la formulation orale de nos pensées. Comme dans une entreprise où chacun et chacune ont sa fonction, et où l'un ne va pas sans l'autre, «à corps et à cri».

Qu'est-ce que ça changerait si je n'avais pas de maison?

Émilie, 5 ans

Tu serais comme une tortue sans carapace, un escargot sans coquille, donc une limace desséchée sous le soleil.

Depuis ses origines, l'homme sans plumage ni fourrure a cherché à se mettre à l'abri des intempéries. D'abord, dans les cavernes. Ensuite, les sédentaires ont découvert l'usage des maisons, les nomades, celui des tentes, les touristes, celui des caravanes. Sans un toit ou un plafond sur ta tête, tu serais un sans-abri, sans foyer pour ta famille.

Hélas! il y a la guerre et les cataclysmes qui ravagent des villes entières, laissant les habitants démunis, sans refuge. Il ne faut pas les oublier.

Comment choisir son meilleur copain?

Paolo, 8 ans

Par affinités! La sympathie se ressent plutôt qu'elle ne s'explique. Elle peut être spontanée ou le résultat de contacts prolongés.

Il y a en chacun des qualités et des défauts qui nous conviennent, et les différences souvent se complètent. Pour ma part, étant surexcité par nature, débordant d'exubérance, j'ai toujours recherché des amis calmes et capables d'absorber les chocs.

J'ai été élevé dans la tradition bourgeoise, et ma mère s'inquiétait que mes meilleurs copains soient issus du milieu ouvrier. J'en ai gardé un profond respect pour la classe ouvrière, qui m'a permis de m'éloigner des valeurs étriquées de la bourgeoisie qui me rétrécissaient.

Il faut quand même faire attention à ne pas s'acoquiner avec un petit voyou – à moins, bien sûr, que vous n'en soyez déjà un!

Pourquoi sommes-nous tous différents?

Qu'est-ce qu'il y a au-delà de l'infini?

Raphaël, 8 ans

L'infini est un grand désert sans frontière connue. Pour le traverser, il faut suivre la Voie lactée en évitant la Grande Ourse affamée que les voyageurs égarés mettent en appétit.

On aboutit finalement à un autre infini peuplé de myriades d'âmes qui se divertissent en harmonie sous une lumière doucement irisée. En ce lieu où toutes les bêtises et tous les plaisirs sont permis, une joie constante anime des festins spirituels, dans une symphonie de rigolades, de chuchotements et de ronronnements.

Des plantes toutes différentes pullulent dans les jardins, émettant des musiques dans un accord parfait. Des nuages de duvet offrent néanmoins des zones de silence, où les âmes peuvent se vautrer dans la béatitude de leur sérénité. On peut passer d'un nuage à l'autre grâce à un réseau de couettes volantes. Mais ce ne sont là que quelques détails…

C'est tout simplement mirobolant. Le paradis est morne et stérile en comparaison.

Seulement, pour y arriver, il faut d'abord que tu essaies d'y croire bien fort avant de t'endormir, avec une bonne conscience aussi sage qu'un mirage.

Pourquoi 2 + 2 = 4 ?

Joe, 6 ans

Parce que le calcul est très utile !

Notre système décimal est basé sur le nombre de nos doigts. C'est ainsi que l'homme des cavernes a appris à compter. Et pourtant, on peut faire remarquer que chaque doigt est différent des autres… ce qui ne va pas sans compliquer un peu les choses.

Par exemple, nous pourrions dire que 2 garçonnets + 2 fillettes = 4 enfants.

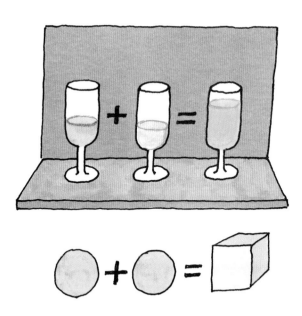

Mais qu'en est-il de 2 tranches de pain + 2 tranches de jambon ? Cela fait 1 sandwich.

Pour calculer, il faut accepter les chiffres pour ce qu'ils représentent, c'est-à-dire pas grand-chose. Nous devons néanmoins faire preuve envers eux d'une certaine indulgence, car nul n'a jamais demandé à un 4 s'il préférait être un 7.

Je n'ai ni sœur ni frère. Est-ce normal que je me sente seule?

Coline, 10 ans et demi

Petit, à 6 ans, j'ai été envoyé en pension chez un oncle. Je n'avais ni amis ni compagnons de jeux. J'avais perdu mon père. Mon abandon était abominable. Je me suis réfugié dans la lecture et le dessin. Mon imagination est devenue ma meilleure amie. Avec elle, je me suis évadé pour découvrir une liberté qui m'est restée fidèle jusqu'à ce jour.

La présence de frères et sœurs crée des divertissements, des disputes. Du coup, elle permet d'échapper à l'ennui. Mais certains se sentent seuls même au milieu de toutes ces distractions. Dans une foule aussi, on peut se sentir seul!

Cependant, les jeux nécessitent des partenaires et des complices. Le remède est donc bien simple. Il faut essayer de se faire des amis, en invitant des camarades chez soi, dans l'espoir d'être ensuite invité chez eux. Quels que soient leurs origines ou passages à niveau social. Encore faut-il que les parents soient d'accord et accueillants.

Gamin, à la rentrée des classes, j'avais une habitude: je consignais la liste de mes congénères. Dès que je me faisais un ami, je cochais son nom. Je puis dire que, dès le premier trimestre, je n'avais plus un ennemi. J'ai toujours su éviter disputes et bagarres!

Est-ce que ça fait grandir de lire des livres de grands?

Julien, 4 ans

Oui, et comment! Surtout s'il s'agit d'être plus malin que les adultes. La lecture est un enrichissement, elle développe les capacités de la cervelle. Quand j'étais enfant, mon ouvrage préféré était le Petit Larousse illustré. Grâce à lui, j'ai appris à semer mes idées comme des graines de pissenlit, à tout vent. Quelle aventure que de partir à la découverte d'un nouveau vocabulaire! Ainsi, avez-vous déjà rencontré un anthropophage infundibuliforme?

Quand on aime une personne, on lui fait forcément des cadeaux?

Yvette, 3 ans

Pas «forcément», mais spontanément. C'est évidemment plus facile de faire des cadeaux à ceux que l'on aime qu'à ceux que l'on déteste (un moyen d'ailleurs pour assouplir une haine!). Les cadeaux qu'on ne trouve pas dans le commerce sont moins chers et d'autant plus appréciés – comme le sourire, un geste d'affection, de la considération et toutes les petites attentions qui rendent à la vie un goût de fleurettes.

Est-ce qu'être pauvre, ça peut avoir des avantages?

Ysé, 8 ans

Mon père est décédé alors que j'avais 3 ans et demi. Sa mort nous a plongés dans une dèche profonde. Nous vivions dans le besoin. Ainsi, je me rappelle le professeur d'anglais de mon frère qui lui donna une meilleure paire de chaussures, afin qu'il puisse venir à l'école.

Je me rappelle aussi mes propres chaussures, devenues trop petites. J'avais découpé au bout des lucarnes, pour laisser passer mon gros orteil, que je peignais en noir afin que cela ne se voie pas. Ce n'était pas tellement pratique pour jouer au football, surtout que nous n'avions pas de ballon et que nous utilisions à la place des boîtes de conserve. La pauvreté développe donc le système D. C'est un stimulant, par le défi.

Nous avions heureusement un grand jardin où poussait notre subsistance et grâce auquel nous n'avons jamais eu faim, même pendant la guerre.

La pauvreté, c'est la gêne, l'embarras. À la rentrée des classes, on compare ses fripes avec les nouveaux costumes des autres élèves. Je me rappelle aussi que je n'avais pas les moyens d'acheter le nouveau manuel de littérature. Je me référais donc au vieux Lanson de mon frère, un ouvrage par ailleurs remarquable, mais le professeur de français se moquait de moi devant toute la classe : « Oh, vous et votre vieux coucou ! » me disait-il toujours.

Avec le dénuement, on apprend pour le reste de sa vie à tout apprécier, à prendre en horreur le gâchis, à maintenir une certaine modestie dans ses besoins, à respecter l'argent et la nourriture, contrairement aux repus qui finissent leurs repas par la traversée interminable du dessert, pour se

plaindre ensuite d'avoir trop mangé. Je me rappelle encore la veste de Harris Tweed que j'ai achetée avec le premier argent que j'ai gagné ! Être pauvre, c'est se savoir inférieur et se battre pour l'accès à un niveau supérieur.

Quand plus tard, à 25 ans, j'ai débarqué avec soixante dollars à New York, j'avais un esprit de conquête, je voulais que la ville soit à mes pieds ! La pauvreté donne donc, pour finir, l'acharnement du désespoir. Qui n'est pas incompatible avec la gratitude, car vous n'oubliez jamais, par la suite, les gestes de générosité de ceux qui vous ont aidé à vous en sortir.

Quand je suis avec Julie, j'ai pas envie d'être avec elle, et quand elle n'est pas là, j'ai envie de la voir. Que faire ?

Emma, 5 ans

Utilise ton imagination pour que chaque rencontre soit inoubliable. Comment ? En essayant de t'organiser en fonction des goûts que vous partagez. Une amitié se cultive comme un potager, avec des plates-bandes pour chaque légume. Les chiens de faïence plongés dans l'ennui n'ont aucun talent pour le jardinage.

On dit du Hans im Schnokeloch, un personnage qui incarne l'Alsace : « Ce qu'il a, il n'en veut pas, et ce qu'il veut, il ne l'a pas ! » Comment jouir de la vie si l'on n'est jamais content ?

Pourquoi j'ai des airs qui me trottent dans la tête?

Ada, 5 ans

Le cerveau ressemble à un gros fromage de gruyère plein de bulles d'air. Là se nichent des petites souris qui le grignotent, tout en fredonnant des chansonnettes. Il paraît même qu'elles s'amusent en engraissant!

> *« Il était un gruyère*
> *Et patati petit patapon!*
> *Gros comme une souricière*
> *Toute pleine de chansons! »*

Peut-on mourir d'amour?

Alexandre, 7 ans

Quand mon père est mort, j'avais 3 ans et demi. Ma mère avait quatre enfants et elle n'avait plus d'argent. Il lui fallait continuer pour assurer notre éducation et notre bien-être, ce qu'elle a fait avec un courage sublime. Si nous n'avions pas été là, je crois bien qu'elle se serait laissée mourir.

La disparition d'un être sans lequel la vie est inconcevable est un choc. Devant le vide, on est tenté de se laisser mourir.

D'où peut venir le sursaut? Il n'y a qu'une vie qu'on peut sauver du vide, du néant, c'est la sienne, celle dont on est responsable. Et je pense que c'est la meilleure manière pour que la vie l'emporte sur la mort.

L'infini est à l'intérieur de quoi?

Tomas, 8 ans

L'infini est un espace qui n'en finit pas, sans limite et sans frontière. C'est un espace libre!

Lorsque nous le concevons dans notre esprit, il devient un lieu d'évasion et de refuge pour notre imagination.

Imaginez un prisonnier dans un sombre cachot. Sa conception de l'infini le transpose dans un état de liberté intérieure que nulle réalité ne peut polluer.

Donc, ma réponse est: l'infini est en nous. Il nous donne un espace vital pour nos pensées et les rêves qu'elles engendrent. L'infini est même capable d'absorber le vide et le néant!

Pour les parents, on sera toujours des enfants?

Rebecca, 9 ans

Ma mère ayant dépassé les 80 ans, et moi piétinant déjà la cinquantaine, qu'elle m'appelait toujours encore :

– mon rayon de soleil ;

– mon petit prince ;

– mon poussin d'or.

Et elle utilisait aussi d'autres termes en alsacien pratiquement intraduisibles, comme, par exemple :

– *meschtkratzerle*, petit coq gratteur de fumier ;

– *siedekeniele*, petit lapin de soie ;

– *goldkaferle*, petit scarabée d'or ;

– *hoselottel*, petit garçon traînant ses culottes par manque de bretelles.

J'avais moi-même 80 ans lorsque j'ai finalement demandé à ma sœur de huit ans mon aînée de ne plus me présenter à des étrangers comme son PETIT frère. Qu'elle attende que je rétrécisse avant de mourir ou que je retombe en enfance dans mon cercueil !

C'est comme ça ! On a beau grandir et devenir adulte, pour les proches, on sera toujours marqué par le souvenir du petit bout de chou qu'on était pour eux.

Est-ce que les pierres peuvent penser?

Stephan, 8 ans

Les pierres sont dépourvues de cervelle, mais cela ne les empêche pas d'avoir une bonne mémoire, qui remonte à des millions d'années.

Parfois, je prends une pierre, la colle contre mon oreille et l'écoute… Il faut de l'imagination pour interpréter son silence.

Lorsqu'elle provient d'une ruine, elle raconte la mise à sac et les massacres dont elle a été témoin.

Une pierre qui roule comme un galet me décrit les noyés échoués sur la grève.

L'ammonite encastrée me relate sa vie au jurassique parmi les *Clypeus ploti* échinodermes.

N'oublions pas que le quartz, qui réside dans le granite et constitue le sable, stimule de nos jours la mémoire électronique des ordinateurs.

Gamin, j'ai une fois lancé une pierre pour casser le carreau d'une fenêtre qui me regardait d'un mauvais œil. Je voudrais bien la retrouver pour avoir sa version de l'histoire.

Si les pierres ne pensent pas, elles vous donnent de quoi penser.

P.-S.: Un jour, lors d'un déjeuner, l'ancien président Valéry Giscard d'Estaing m'a posé exactement la même question !

Comment sait-on qu'on aime ?

Lulu, 10 ans

L'amour se présente de multiples façons. On n'aime pas sa mère comme la maîtresse, la liberté comme un praliné.

Quand l'amour mène à la passion, on est porté par l'aveuglement, le désir de possession, la jalousie. Dans le cas du coup de foudre, c'est carrément instantané : c'est ainsi que j'ai rencontré ma femme dans le métro. Elle fut pour moi comme une révélation, une apparition, avant que nous en arrivions à une belle mutualité sans illusions.

Mais on sait aussi qu'on aime quand on éprouve un frisson de tendresse et de compassion, le désir de rendre une autre personne heureuse, la joie d'échanger ses émotions, l'impatience de se revoir, la plénitude d'un autre monde, le bonheur sans solitude.

On parle de tomber amoureux comme si c'était un piège. Mais l'amour, pour le prochain comme pour le choisi, est quelque chose de si beau, de si miraculeux que l'enjeu en vaut la chandelle et le chandelier.

En espérant que ça soit réciproque ! Sinon, l'amour sans retour devient une torture, une obsession.

Ce qu'il faudrait à l'amour, dès qu'on le ressent, c'est une assurance tous risques.

Pourquoi est-ce qu'on n'a qu'une seule vie?

Maïa, 8 ans

Petit, nous avons une vie d'enfant, suivie par celle de l'adolescent, puis arrive l'âge adulte, qui se prolonge dans la vieillesse. Je peux dire, moi qui ai 86 ans, que j'ai vécu plusieurs vies, car ma vie a été divisée en plusieurs époques.

Mais vivons-nous une seule vie à la fois? Lorsque nous rêvons la nuit, ne sommes-nous pas dans une vie parallèle? La réalité est-elle un rêve à dormir debout?

Si les religions nous promettent aussi une vie après la mort, elles ne sont − hélas! − pas d'accord sur le mode d'emploi. Certaines parlent de réincarnation, ce qui correspond à une forme de recyclage, d'autres offrent la condamnation au paradis ou à l'enfer. Quant aux Apaches, ils croyaient qu'ils se verraient offrir après la mort un magnifique terrain de chasse. Qui mourra verra.

Certains pensent que nous serons forcés de revivre toujours la même vie. Le rythme risque d'être effréné, surtout pour les enfants morts en bas âge.

Maman dit que la philosophie a réponse à tout. Alors, sait-elle où est le porte-monnaie que j'ai perdu et que je cherche désespérément?

Arthur, 7 ans

Qu'on l'ait perdu ou simplement égaré, sa perte est une leçon. Il faudra être plus attentif pour que cela ne se répète pas. Quand j'étais jeune et que je voyageais à pied, en auto-stop ou à vélo, je conservais mon portefeuille sous ma chemise, au bout d'un cordon.

Perdu, ce porte-bonheur fera peut-être le bonheur de son nouveau propriétaire. Égaré, il se repose peut-être tranquillement sous un coussin du sofa.

Dans tous les cas, le portefeuille est remplaçable. Ce serait bien pire de perdre sa mère au cimetière ou sa raison dans un asile de fous.

Pourquoi certains humains ne partagent-ils pas leur argent ?

Pauline, 9 ans

Parce qu'ils n'en ont jamais assez ! L'être humain est essentiellement un rapace. Il est dans sa nature d'accumuler.

Cela se remarque particulièrement dans le rapport à l'argent. À partir du moment où nous en avons, nous éprouvons le besoin d'en avoir encore plus. C'est ainsi que le luxe devient une nécessité. Or le luxe est onéreux et ne laisse pas grand-chose à la générosité.

Mais il y a aussi ceux que leur conscience, heureusement, pousse au partage et à la compassion.

Est-ce que l'arc-en-ciel sert à faire monter les oiseaux vers les nuages?

Maddalena, 3 ans

Oui, c'est dans l'arc-en-ciel qu'ils vont chercher les couleurs de leur plumage. Si je dis oui, c'est parce que je trouve la question charmante, ma réponse n'est vraie que dans l'imagination.

Pourquoi
le temps passe?

Julia, 5 ans et demi

Parce qu'il n'a pas le choix. On ne peut pas l'arrêter. Il est irréversible et continue sa course. Il n'a pas une seconde à perdre...

Mais au moins, comme les nuages, il ne se répète jamais.

Faut-il être grand pour être adulte ? Qu'est-ce qu'être grand ?

Luisa, 6 ans

Cher Monsieur,

Fidèle lectrice de Philosophie Magazine, *je partage régulièrement vos réponses avec ma nièce Luisa, âgée de 6 ans. Aujourd'hui, j'ai souhaité vous faire part des questions qu'elle a souvent voulu vous poser.*

Je suis de petite taille suite à un nanisme, et il s'avère que Luisa a souvent été amenée à se questionner sur le rapport entre la taille, la maturité, le fait d'être adulte. Parmi ses interrogations, il y a celles-ci :

Faut-il être grand pour être adulte ? Qu'est-ce qu'être grand ?

Violette V.

J'avais une amie, minuscule, un vrai modèle réduit, qui m'a raconté qu'un soir, lors d'une réception, elle s'était juchée sur un escabeau et avait déclaré de son piédestal : « Ce n'est pas parce que je suis petite que vous êtes grands ! » Elle a fait sensation. Elle était chanteuse et actrice, et décrochait des rôles, comme celui de Peter Pan, grâce à son petit format. Elle sortait de l'ordinaire, donc du banal. Son handicap était devenu un atout. Elle était la première à tourner en dérision sa petite taille. Comme la majorité des «naines» que j'ai connues, elle faisait preuve d'une vitalité joviale, d'un aplomb désopilant, d'un humour cinglant.

Une technique qu'elle avait perfectionnée depuis ses premières classes. C'est à l'école que, avec la stigmatisation, les brimades, celui qui a une différence risque d'être l'objet des quolibets de la classe. L'amour-propre en est sali. Une façon précoce de surmonter les caprices du destin, c'est de

garder le sens de l'humour. On se munit ainsi, pour la vie, d'une armure faite sur mesure.

J'ai souvent recours à l'humour lorsque je rencontre une personne hors norme, sans pitié, condescendante. Ainsi : un jour, à Berlin, dans un grand magasin, j'avais acheté une vaste valise rose. Voilà que je me retrouve dans l'ascenseur avec une vieille dame aussi frêle que minuscule. Je lui demande d'un ton bonhomme :

« – Alors, elle vous plaît ma valise ?

– Ah oui ! Avec une couleur pareille, comment ne pas la remarquer ?

– Vous devriez en acquérir une comme ça. Vous y tiendriez certainement dedans, enfin, recroquevillée, et, pour vos héritiers, ce serait moins cher qu'un cercueil ! »

J'ai cru qu'elle allait mourir de rire !

Elle avait saisi qu'aucune dérision ne se cachait derrière mes propos. Donc, c'était une blague entre deux êtres normaux.

Tout enfant éprouve le besoin d'être rassuré, sans condescendance, sans apitoiement. Stimuler la confiance en soi-même, c'est nécessaire, et le défi est un remède à la déficience. Il faut savoir tourner le sort en sortilège, donner au destin une destination.

Cher Tomi,

Veuillez excuser cette familiarité, mais je suis le fils de la dame à la valise.

Ma mère ne m'a pas tout à fait conté la même histoire.

En effet, elle avait été estomaquée de votre humour morbide mais ne sachant l'aborder de face, elle avait pris le parti d'en rire avec vous. Non pas qu'elle avait perçu la subtilité de votre absence de dérision. Sur le coup, cela lui avait échappé. Mais, me dit-elle, cette approche par l'hilarité lui permit de ne pas y accorder malice. M. Martin Bouygues aurait, dit-on, moins bien apprécié.

La voilà rassurée maintenant qu'elle a choisi votre formule low coast *pour ses obsèques. Il est vrai que le rose lui va si bien. Je vous en remercie. L'économie de charges à son décès est un petit gain que je ne méprise pas au vu du sens développé de la dérision qu'elle y a trouvé. Il est vrai qu'elle a encore perdu un peu de stature avec son grand âge ce qui rend la chose plus aisée à réaliser.*

Merci M. Ungerer de votre chronique. Maman en rit encore. Bien à vous.
Jean-Robert

P.-S.: Maman se prénomme Lise et elle va très bien. Son second prénom est Rose.

Pourquoi nous ne sommes pas sûrs de nous?

Raphaël, 6 ans

Il faut de l'arrogance et de la suffisance pour être sûr de soi. C'est le cas des tyrans et des fanatiques, qui sont convaincus d'avoir toujours raison et qui sont prêts à le proclamer comme le coq qui chante sur son tas de fumier.

Pour ma part, j'ai toujours été, dès mon plus jeune âge, enclin au doute et à l'insécurité. Cela ne m'a pas empêché de m'affirmer en affichant des convictions, tout en laissant libre cours à des changements d'opinion. Je préfère la discussion à la dispute. L'incertitude nous pousse à investiguer, avec ruse et curiosité, dans toutes les directions.

Au lycée, après la guerre, un professeur me répétait : « Perdez votre accent allemand avant de vous intéresser à la littérature ! » Cette remarque a contribué à mon infériorité de « sale Boche », tout en me confortant dans mon identité d'Alsacien, en l'exacerbant. Ce professeur était sûr de lui ! Je lui suis très reconnaissant de m'avoir appris ce qu'étaient la bêtise et l'aveuglement.

Il est – hélas ! – impossible de souscrire à une police qui nous ordonne d'avoir de l'assurance. Car tout le monde ne peut pas avoir raison !

Les humains vont-ils réussir à aller habiter sur une autre planète?

Adrien, 11 ans

Ceci sera bientôt nécessaire car notre Terre est en bien triste état. Le seul problème est que les autres planètes sont inhabitables. Ce qu'il faut faire, c'est vider notre globe de son contenu de magma et aménager sa surface intérieure en maintenant la bouche des volcans comme conduits d'aération. Tout comme l'avait déjà préconisé Jules Verne dans son *Voyage au centre de la Terre*. Le tout éclairé par une énorme lampe de poche centrale.

P.-S.: On pourrait aussi y vider une partie de nos océans, ce qui serait susceptible d'augmenter la surface terrestre.

Avec mon frère Noam (10 ans), on n'est pas d'accord: est-ce que le rien existe?

Andy, 9 ans

Si le rien est synonyme de vide, il existe parce qu'on en a une définition scientifique. Et s'il est synonyme de néant, il existe parce qu'on en a une définition métaphysique. Comme si de rien n'était.

Un rien vaut mieux que deux tu l'auras.

Et même si rien ne va plus, comment allait-il auparavant?

Entre nous, ce mot n'est qu'un vaurien.

Faut-il enterrer les chats, les chiens et les autres animaux?

Lucile, 8 ans

Lorsqu'ils sont morts, il faut enterrer les animaux pour des raisons d'hygiène. Sinon, nous serions entourés de charognes qui risqueraient de provoquer des épidémies – à moins que des unités de hyènes ne s'en chargent. Leur donner un enterrement, c'est une autre affaire. Si ce sont des animaux qui ont partagé notre vie avec fidélité, j'estime qu'on leur doit bien une cérémonie qui témoigne de notre affection.

Je vis dans une ferme en Irlande. Chez nous, quand un chien ou un cheval meurt, tous les membres de la famille se déplacent pour lui rendre un dernier hommage. Nous apportons des fleurs et, durant la cérémonie, nous écoutons une musique spécialement choisie pour cet animal, selon son caractère.

Je me souviens d'un chien de berger que mon fils, avant l'enterrement, avait enveloppé dans une peau de mouton pour lui faire un linceul. L'endroit où il est enseveli est signalé par un rocher que nous avons dressé en guise de stèle.

Quand c'est un cheval qui meurt, tout est plus compliqué. Nous avons besoin d'un tracteur muni d'une pelleteuse pour creuser la fosse. Notre ferme est grande, aussi nous pouvons faire de larges trous. Ce serait impensable dans le jardin d'une maison de ville.

Une tombe est un lieu où séjourne la mémoire. Mais le citadin peut aussi avoir recours à l'incinération et entretenir ainsi un souvenir de l'animal disparu en gardant ses cendres dans une urne.

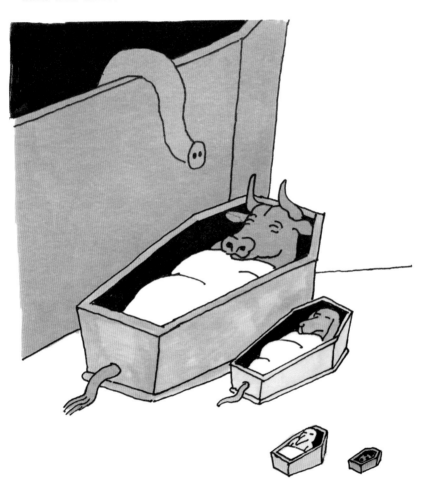

Est-ce que la magie existe vraiment?

Simon, 9 ans

La magie concerne ce qui est apparemment inexplicable. Le spectacle d'un magicien, d'un prestidigitateur est fondé sur des tours de passe-passe dont l'auteur garde le secret. Cela veut dire que les magiciens qui font des tours avec des cartes, des anneaux ou des chapeaux jouent sur l'illusion.

La vraie magie se trouve dans la nature. Observez la chenille qui s'embobine en un cocon pour sortir de sa chrysalide en papillon, dont les ailes sont couvertes de tuiles en forme de cœur de couleurs différentes…

Il y a aussi, dans la vie, des moments magiques. Parfois, on s'aperçoit que le bonheur lui aussi repose sur l'illusion. Peu importe, ces moments magiques valent toujours la peine d'être vécus, et il faut savoir les goûter!

Comment on construit la vie?

Valentine, 6 ans

En commençant par les fondations pour lui donner une base solide.

Cela par l'éducation et le savoir. À la place de chaque brique, de chaque parpaing, une nouvelle connaissance ou une nouvelle expérience.

Pour l'enfance, on a le rez-de-chaussée, avec son vaste hall propice aux allées et venues, que les parents surveillent depuis la loge du concierge.

Avec l'adolescence, on passe au premier étage, d'où l'on peut gagner les suivants. Si l'on a de l'ambition, on essaie de prendre l'ascenseur.

Néanmoins, on restera toujours à la merci d'un séisme, d'un incendie ou d'un bombardement. Dans ce cas, tout est à recommencer.

Voilà donc comment on construit la vie. Mais je vais vous dire un secret: même s'il est bon de grimper dans les étages, c'est surtout avec les locataires que la vie se révèle rentable.

Qu'est-ce qu'il y a dans le noir qui fait toujours peur?

Adeline, 8 ans

Lorsqu'on ferme les yeux, il fait noir. Les aveugles vivent dans le noir, c'est leur couleur préférée. Ils ne craignent pas de se débrouiller à tâtons.

Si l'on a peur de l'obscurité, c'est parce qu'elle peut cacher des menaces qui sont, en général, le fruit de notre imagination. Est-ce que l'armoire va me dévorer? Est-ce que les draps de mon lit sont des fantômes? Le mieux, c'est de s'armer d'une lampe de poche.

Si quelque chose vous inquiète, vous effraie, adressez-lui la parole. Si la chose ne réagit pas, ça veut dire qu'elle n'existe pas. N'hésitez pas à l'injurier. «Espèce de sale spectre, je vais te faire subir un lessivage dans la machine à laver et te tirer les oreilles avec mes pinces à linge.»

L'obscurité donne du mystère à la réalité, condition idéale pour s'inventer des histoires à dormir debout.

Comment l'homme descend-il du singe ?

Sam, 6 ans et demi

Au début de la Bible, dans la Genèse, il est écrit : *« Dieu créa l'homme à son image. »* Comme il avait un physique de primate, il créa un homme tout aussi simiesque que lui. Adam était donc, à l'origine, un singe, et Ève, sa guenon. Leur progéniture et leur descendance évoluèrent ensuite, en perdant leurs poils et en développant leur intelligence, jusqu'à atteindre le stade de l'*Homo sapiens* actuel.

Comme tu le vois, il n'y a donc aucune contradiction entre le récit de la religion sur la création de l'homme et celui de la science qui affirme que nous descendons du singe : j'espère sincèrement que ma théorie pourra enfin réconcilier les croyants et les scientifiques !

Les pierres ressentent-elles la douleur?

Kaisa, 5 ans

Peut-être, lorsqu'elles sont tombales. Les galets qui vivent en communauté sont sans doute les pierres les plus heureuses. La disparition de l'un d'eux suscite la tristesse de ses proches. Un grain de sable n'a rien à craindre, sauf d'être mélangé à du ciment.

Est-ce que le monde pourrait fonctionner sans l'argent?

Nicolas, 10 ans

Ce serait la fin des tirelires et des casinos. Tout serait gratuit dans les magasins. Un monde sans loyers, sans dettes, sans impôts… Mais, hélas! comme un système ne peut qu'être remplacé par un autre, une société sans argent serait fondée sur autre chose. Par exemple, sur le rationnement, avec des tickets multicolores.

On distribuerait ainsi:

– une poupée ou un nounours par enfant,

– une tablette de chocolat par semaine,

– quatre paires de chaussettes et une paire de souliers par an, ce qui permettrait aux unijambistes de troquer leur chaussure inutile contre du cognac ou des cigares cubains.

Tout comme pendant la Seconde Guerre mondiale, où ce système de rationnement était en place, on verrait forcément réapparaître un «marché noir», où l'on ferait du troc: sous l'Occupation, on échangeait un paquet de cigarettes contre une motte de beurre.

Le travail obligatoire serait alors rémunéré par des bons de repas au restaurant, des séjours de vacances et l'usage d'automobiles pour les méritants, y compris une allocation de carburant.

La vie serait sans doute compliquée par toutes sortes de négociations et de chicanes assez monotones. Ainsi, malgré ses nombreux défauts, et même si l'avarice est méprisable, l'appât du gain reste l'un des plus grands stimulants de l'homme soi-disant civilisé. L'utopie d'un monde sans argent séduit notre imagination, mais elle pourrait bien se transformer en mauvais rêve si l'on tentait de la réaliser.

Pourquoi parfois
je me sens invisible ?

Anna, 5 ans

C'est par besoin de passer inaperçu. Par insécurité, timidité, peur de se faire scruter, repérer. C'est une forme d'évasion. Comme lorsqu'on se réfugie dans un rêve. Enfin ! Cela vaut mieux que d'être la seule personne visible dans un monde d'invisibles. Imaginons un match de football où les joueurs et le public seraient indiscernables, et où l'arbitre serait le seul à être vu. Cet arbitre, ce pourrait être toi aussi.

Doit-on aussi respecter les méchants?

Gaby, 6 ans

On peut toujours essayer de les amadouer pour en extraire un peu de gentillesse, avec ce que l'on appelle du «pragmatisme». Goujats, grognons, croquemitaines ont tous une corde sensible.

Ainsi, j'ai raconté l'histoire de la petite Zeralda, cordon-bleu accompli, qui, concoctant ses petits plats, convertit un ogre à la cuisine du terroir, bien meilleure que les enfants qu'il avait coutume de manger – quelle hérésie! – tout crus.

Il faut donc respecter les méchants, non pour ce qu'ils sont, mais pour ce qu'ils devraient être.

Si l'Amazonie disparaît, est-ce qu'on n'aura plus d'air pour respirer?

Paul, 8 ans

Voici une triste réponse, à une triste question. Les arbres produisent, avec l'aide du soleil, l'oxygène que nous respirons à pleins poumons. Sans forêt, nous serions asphyxiés. Nous saccageons notre planète en coupes sombres, sans réfléchir à l'avenir. «Nous n'irons plus au bois, tous les troncs sont coupés!» dit une ancienne chanson. Prémonitoire.

Donc, dès maintenant, plantez des arbres dans votre appartement. Ainsi, en rentrant de votre école ou de votre travail, vous pourrez en toute sécurité enlever votre masque à oxygène. S'ils sont fruitiers, il vous faudra des abeilles pour la pollinisation ; pour leurs gazouillis, installez-y quelques oiseaux ; et pourquoi pas quelques écureuils, qui, sur le seuil, vous accueilleront, comme dans une cabane en chocolat, au Canada.

Pourquoi on trouve l'amour si important? C'est très exagéré, non?

Bahar, 12 ans

C'est pour l'extase qu'il procure. Lorsqu'on tombe amoureux, il est souvent difficile de se relever. En général, on est aveuglé par ses sentiments, qui sont en effet exagérés et d'une intensité aussi ridicule que passagère.

Aussi, j'ai tendance à préférer l'amitié, qui est plus contrôlable et qui n'exclut pas l'affection et la tendresse.

Il est quand même avantageux de préférer l'amour à la haine. L'amour semble nous tomber dessus depuis le septième ciel, sous la forme d'un coup de foudre merveilleux. Malheureusement, la foudre provient de la tempête. J'ai été frappé par la vraie foudre une fois. Je dois ma vie à mes bottes de gomme – il ne m'est rien arrivé! Mais cela a pris du temps pour que l'électricité quitte mon corps. Je vous donne un conseil: avant de tomber amoureux, mettez des chaussures avec des semelles en caoutchouc!

Pourquoi je ne suis pas toi, et toi tu n'es pas moi?

Eurydice, 7 ans

Dans ma famille, j'étais le plus jeune. Tout le monde me taquinait. Excédé, frustré, je disais, pour défendre ma façon de faire et de voir : «Toi, tu n'es pas moi!» Là-dessus ma mère, mon frère et mes sœurs répétaient en chœur : «Toâ tu n'es pas moâ!» Cela les faisait rire, mais me rendait fou de rage.

Un jour, à bout, je me suis précipité sur ma sœur aînée de 9 ans pour la frapper. Elle s'est affaissée, je l'ai crue morte. Je pensais l'avoir tuée, je fondis en sanglots, la secouant pour la ramener à la vie. Par miracle, ce fut vite fait, elle ressuscita avec un éclat de rire en disant : «Toi, tu n'es pas moi !»

Mais… heureusement que nous sommes tous différents, que chacun a quelque chose que les autres n'ont pas ! Sinon, la vie serait bien ennuyeuse.

Cela n'empêche pas qu'une société se coagule en classes, en régiments, en associations. Pour se presser en masse dans les stades de sport ou dans des concerts de rock ou devant une idole. Dans ces cas-là, tous les moi sont des toi. J'avoue que ce genre de rassemblements ne m'attire pas tellement. Car je suis ce que je suis, et ma liberté est de le rester. Vive la différence, malgré les masques, la mode et les uniformes !

Il faut se mettre à la place des autres pour mieux les comprendre et se comprendre soi-même. C'est ce que j'appelle le « toimoi ». Tous égaux, tous différents, vacillant entre le meilleur et le pire.

Habiter quelque part, ça ne veut plus rien dire si l'Univers est infini?

Hugo, 12 ans

Bien au contraire! On habite un lieu pour s'y trouver un refuge, un chez-soi. Le nomade dans sa tente, tout comme l'oiseau dans son nid et la taupe dans ses dédales et l'escargot dans sa coquille n'ont que faire de l'infini et de ses univers. Un espace vital devrait suffire à nos besoins.

S'il y a des prophètes, des philosophes et des astronautes qui cherchent à trouver résidence dans l'illimité, c'est un peu comme le vide qui se réfugie dans le néant. L'infini se firmamente au-dessus de notre tête, mais ce n'est pas une raison pour dormir à la belle étoile par − 15 °C.

C'est quoi, la sagesse?

Joseph, 5 ans et demi

Pour les adultes, un enfant est sage quand il est obéissant, tranquille, sans turbulences et sans encombre. Donc, pratiquement inexistant, aussi plat et placide qu'une image sans visage. Donc carrément ennuz'yeux.

C'est : « Ferme-la et dis oui ! » Pourtant, un enfant n'est pas un animal domestiqué ! Ce sont ses écarts de conduite qui définissent sa personnalité, et c'est au rythme des punitions qu'il acquiert de l'expérience.

Avec l'âge et la vieillesse, on accumule des expériences soldées de triomphes, d'erreurs et de regrets. Ce qui apporte la prudence et la modération. On pourrait s'imaginer la sagesse comme un poteau indicateur arborant une longue barbe blanche. Cérémonieuse, prêchi-prêchante. Là encore, elle a tendance à être ennuyeuse, surtout si elle se prend au sérieux.

Les « sages » servent néanmoins à quelque chose : ils sont là pour être consultés. Face à un dilemme, à un problème, j'ai toujours cherché à être conseillé, orienté par plus sage que moi, et je m'en suis félicité. Un désert ne se traverse pas sans guide.

Ayant perdu mon père à 3 ans et demi, j'ai toujours cultivé des amitiés avec des personnes plus âgées, susceptibles de me conseiller. Un conseil peut être écouté, suivi et mis à l'épreuve. Je ne l'ai jamais regretté. Le conseiller est ainsi une sorte de sens critique. Mon frère aîné m'a le premier orienté en punaisant des commentaires au-dessus de mon lit. «Sois tenace», par exemple.

On prolonge ainsi, toute sa vie, son éducation. Moi-même, garnement de profession, je dispense mes sagesses dans cette revue. Si mes conseils sont mauvais, c'est à vos frais et dépendance, il suffit alors d'apprendre à faire exactement le contraire.

Index thématique

Amitié

Amour

Animaux

Argent

Cosmos et Univers

Enfants et adultes

Famille

Humain et nature humaine

Morale et société

Mort

Nature et science

Pensée et savoir

Peur

Préjugés

Religion